DIALOGUE AVEC HEIDEGGER

DU MÊME AUTEUR

DIALOGUE AVEC HEIDEGGER.
I. Philosophie grecque, 1973.
II. Philosophie moderne, 1973.
III. Approche de Heidegger, 1974.

Chez d'autres éditeurs :

LE POÈME DE PARMÉNIDE, P.U.F., 1955.
INTRODUCTION AUX PHILOSOPHIES DE L'EXISTENCE, Denoël, collection « Médiations », 1971.
DOUZE QUESTIONS POSÉES A JEAN BEAUFRET A PROPOS DE MARTIN HEIDEGGER par Eryck de Rubercy et Dominique Le Buhan, Aubier, 1983.
ENTRETIENS AVEC FRÉDÉRIC DE TOWARNICKI, P.U.F., 1984.

JEAN BEAUFRET

DIALOGUE AVEC HEIDEGGER

LE CHEMIN DE HEIDEGGER

ARGUMENTS

LES ÉDITIONS DE MINUIT

7, rue Bernard-Palissy — 75006 Paris

ISBN 2-7073-1008-5

AVERTISSEMENT

Jusqu'à sa mort, survenue le 7 août 1982, Jean Beaufret a continué son travail, hors des cercles officiels et au cœur de la question de la pensée. C'est ainsi qu'il avait revu et corrigé tous les textes rassemblés dans ce quatrième tome du *Dialogue avec Heidegger.* Notre propre travail a consisté en l'ultime mise au point de ce volume. Les deux derniers textes en ont fourni le titre.

Pour l'édition : Claude Roëls.

NOTE SUR LES ABRÉVIATIONS

Parmi les œuvres de Heidegger, citées d'après les éditions allemandes :
Sein und Zeit (*Etre et Temps*), 1927, *S. Z.*
Vom Wesen des Grundes (*L'Essence du fondement*), 1929, *W. Gr.*
Was ist Metaphysik? (*Qu'est-ce que la métaphysique?*), 5e éd., 1949, *W. M.?*
Platons Lehre von der Wahrheit, mit einem Brief über den « Humanismus », (*La Doctrine platonicienne de la vérité*, avec une *lettre sur l' « humanisme »*), Berne, 1947, *P. L.* et *Brief...*
Kant und das Problem der Metaphysik (*Kant et le problème de la métaphysique*), éd. de 1951, *K. M.*
Holzwege (*Chemins qui ne mènent nulle part*), 1950, *Hzw.*
Einführung in die Metaphysik (*Introduction à la métaphysique*), 1953, *E. M.*
Vom Wesen der Wahrheit (*De l'essence de la vérité*), 1943, *W. W.*
Die Frage nach dem Ding (*La Question de la chose*), 1962, *F. D.*
Der Satz vom Grund (*Le principe de raison*), 1957, *S. G.*
Vorträge und Aufsätze (*Essais et conférences*), 1954, *V. u. A.*
Was heisst Denken? (*Qu'appelle-t-on penser?*), 1954, *W. D.?*
Identität und Differenz (*Identité et différence*), 1957, *I. D.*
Unterwegs zur Sprache (*Acheminement vers la parole*), 1959, *U. z. S.*
Zur Seinsfrage (*Droit à la question de l'être*), 1955.
Nietzsche, 1961, *N. I et N. II.*
Zur Sache des Denkens (*Droit à l'affaire de la pensée*), 1969, *Z. S. D.*
Schellings Abhandlung über das Wesen der menschlichen Freiheit (*Les recherches de Schelling sur l'essence de la liberté humaine*), 1971, *Sch. Abh.*
Erläuterungen zu Hölderlins Dichtung (*Approche de Hölderlin*), 1951, 1971, *Erl.*

L'OUBLI DE L'ÊTRE

En souvenir de Guitrancourt, août 1955

« Certain philosophe d'aujourd'hui a reproché aux métaphysiciens d'autrefois de s'être attardés autour du problème de l'étant (*das Seiende*) sans aborder franchement celui de l'être (*das Sein*)... Mais ce n'est pas une faute. L'erreur est seulement d'annoncer qu'à partir du lendemain on commencera sérieusement à parler du *Sein* autrement que pour dire qu'il serait grand temps d'en parler. » Ainsi parle M. Gilson [1].

On ne peut mieux dire que Heidegger, loin de *montrer* enfin à ses lecteurs ce que d'autres que lui auraient prétendument laissé sous le voile de l'oubli, n'a pourtant jamais fait plus que se vanter de faire mieux que les autres, tout en faisant exactement comme eux, son prétendu apport se ramenant à remplacer par une promesse artificieuse (demain on rasera gratis) la négligence qu'il « reproche » à tous ses devanciers.

Peut-être cependant parler ainsi est-il commettre innocemment le plus radical contresens sur la pensée de Heidegger.

Mais alors qu'entend-il donc par la locution d' « oubli de l'être » (*Seinsvergessenheit*) qui, dans son œuvre publiée, apparaît pour la première fois, vingt ans après *Sein un Zeit,* à savoir dans la *Lettre sur l'humanisme,* où est dit rétrospectivement, à propos de *Sein und Zeit,* que la *contrée* à partir de laquelle tout le livre a été *éprouvé* et pensé est celle de l'oubli de l'être ?

« Oubli de l'être » est une locution de nature à induire en erreur, comme elle n'a pas manqué de le faire aussi longtemps que, négligeant tout rapport avec *Sein und Zeit,* le lecteur ne l'entend pas comme « oubli de la vérité de l'être ». Heidegger ne veut pas dire

1. Etienne Gilson, *Introduction à la philosophie chrétienne,* Vrin, 1960, p. 171-172.

que Platon, Aristote et même saint Thomas auraient « oublié l'être », c'est-à-dire oublié d'en parler sinon, écrit aussi M. Gilson, « dans le langage de l'étant ». C'est tout le contraire qui est vrai.

Platon, Aristote, saint Thomas, Leibniz ont bel et bien nommé l'être et parlé de lui sans nullement le confondre avec l'étant. S'il y a une confusion, c'est seulement à la limite qu'elle se produit et dans la mesure où ce que les Grecs avaient nommé ὄντως ὄν ou ἀληθῶς ὄν est depuis Platon déterminé, tout aussi bien que par l'être, par ce qu'il y a dans l'étant de plus véritablement étant. Mais ils n'en ont pas moins pensé à partir d'une *différence* de l'être et de l'étant, n'ayant jamais dit celui-ci qu' « à la faveur d'un regard jeté au passage sur l'être[2] ». Ont-ils été pour autant de niveau avec la « vérité de l'être » ?

Nullement. Non sans doute que, montreurs de l'être, ils l'auraient mal ou incomplètement montré. Mais parce qu'ils n'ont pas éprouvé l'*oubli* comme trait fondamental de sa manifestation la plus propre. C'est vers une telle pensée de l'oubli que, sous le nom d' « oubli de l'être », le génitif étant ici beaucoup plus « subjectif » qu' « objectif », fait signe Heidegger.

Montrer ce qui est, au plus secret de sa présence encore inapparente, est œuvre du poète. Depuis toujours et aujourd'hui c'est seulement la poésie qui délivre l'étant à une éclosion jusqu'ici inconnue. « Je dis : une fleur ! et, hors de l'oubli où ma voix relègue aucun contour, en tant que quelque chose d'autre que les calices sus, musicalement se lève, idée même et suave, l'absente de tous bouquets[3]. » Le poème produit ainsi à la *croisée*, dira Heidegger, des dimensions du monde où il ne cesse de dire comme à voix basse à travers le rassemblement du ciel et de la terre, celui de l'homme comme mortel et des signes qui sont depuis toujours la parole des dieux. C'est ce que Hölderlin nomme « *das ganze Verhältnis, samt der Mitt*[4] ». D'un mot : « *das Heilige*[5] ». Le sacré ? Il se pourrait que ce terme issu de la dévotion romaine dise mal que le monde devienne, à la parole du poète, un monde de l'éclosion universelle, un monde qui retourne à l'ouverture du monde, toute chose nommée retrouvant par là et en lui, dit Baudelaire, « l'éclatante vérité de son harmonie native ». Si cependant nous entendons dans le mot sacré non le latin *sacrum* ou *sacrosanctum* mais l'écho du κεχωρισμένον d'Héraclite (fr. 108), de l'excepté, tel qu'il fait surtout signe vers l'*éclair* qui, dit-il aussi, « pilote tout jusqu'à lui-même » (fr. 64), alors nous pouvons bien dire, avec Hölderlin, *sacré* ce qui advient « plus pur » (Mallarmé) à la parole du poète dont la parole

2. *Lettre sur l'humanisme*, Aubier, 1957, p. 74.
3. S. Mallarmé, *Œuvres complètes*, Gallimard, Pléiade, 1945, p. 368.
4. F. Hölderlin, *der Vatikan*, cf. *Œuvres*, gallimard, Pléiade, 1967, p. 916.
5. *Id.*, *Wie wenn am Feiertage*, cf. *Œuvres*, p. 834.

courante n'est que la retombée d'où « à peine nous parvient encore un appel[6] ». Parler ainsi n'est pas « sacraliser » la poésie, mais l'honorer à son niveau et comme ce « métier de pointe[7] », selon le mot de René Char, qui seul « sauve l'apparition ».

La philosophie, dans sa nomination de l'être, sauve-t-elle l'apparition ? Ou au contraire n'est-elle, d'un bout à l'autre de son histoire, qu'un témoignage de plus en plus lointain de ce qui pourtant demeure apparition et continue, à la parole du poète, à se laisser « donner à voir » ?

S'il en était ainsi, la philosophie, ou métaphysique — car les deux termes sont synonymes —, serait le lieu le plus propre d'un oubli à son tour oublieux de lui-même et par là à l'abri de toute possibilité de se laisser penser par elle comme oubli, en quoi il diffère de ce qui n'est que simple distraction ou inadvertance.

Mais au profit de quoi l'être, si cependant il est partout visé dans toute l'histoire de la métaphysique, est-il essentiellement oublié ? La réponse de Heidegger est ici rigoureusement univoque : au profit de l'étant. Une telle univocité ne va pas cependant sans nuances. S'il est en effet assez clair que le τοῦ ὄντος ὀρέγεσθαι[8] de Platon comme aussi bien d'Aristote est ambigu et dit à la fois le *souci* de l'être et la *préoccupation* du souverainement étant tel que, mesuré à lui, le reste est moindrement étant, le *Poème* de Parménide ne dénonce-t-il pas, pour ainsi dire d'avance, ce qui n'aura expressément lieu qu'avec Aristote et Platon ? Ne porte-t-il pas en effet le *virage* de l'étant à l'être jusqu'à la parole encore inouïe : ἔστι γὰρ εἶναι ? Et ne dénonce-t-il pas précisément comme δόξα la confusion trop humaine de l'être et de l'étant ? Assurément. Mais l'être en lui-même est-il pour autant pris en garde ? La parole de Parménide n'est-elle pas déjà dans sa nomination de l'être l'amorce de ce que *Sein und Zeit* caractérisait en son temps comme *Entweltlichung,* que nous pouvons entendre comme appauvrissement ou retrait du monde ? Mais en quoi ? En ce que les choses de ce monde sont déjà déterminées comme τὰ δοκοῦντα. Non pas, bien sûr, au sens de Platon, comme des apparences sans fondement. Mais les *dokounta* de Parménide n'ont déjà plus d'autre arrière-plan, sous la dictée d'ἀλήθεια que la *permanence* de l'être, sans qu'un plus haut secret de l'*alétheia* elle-même ne soit, nulle part encore, soupçonné.

Ceux qui s'en tiennent à la *doxa* ne pensent pas la coappartenance dans l'unité de l'être des aspects contrastants que partout présentent, « à juste titre », les *dokounta.* Mais ceux qui pensent cette coappartenance, pour avoir quitté le « chemin des mortels », ne la pensent pourtant que dans la lumière préexistante et présupposée fixe de l'*alétheia.*

6. M. Heidegger, *Unterwegs zur Sprache, U. z. S.,* Neske, 1959, p. 31.
7. R. Char, *La parole en archipel,* Gallimard, 1962, p. 73.
8. *Phédon,* 65 c.

C'est seulement avec un texte divulgué dès 1930 sous le titre *Vom Wesen der Wahrheit,* texte imprimé en 1943 et enfin publié en 1949, que Heidegger entreprend de méditer pour la première fois, dans un *retour aux Grecs* et *en dépassement de l'expérience grecque elle-même,* l'essence voilée aux penseurs grecs de ce qu'ils nommèrent *alétheia,* nommant du même coup la λήθη d'où émerge l'*alétheia.*

Dans ce texte sans dehors, la pensée atteint sa plus haute concentration avec la première phrase de la partie VI qui a pour titre « La non-vérité comme le retrait ».

Cette phrase est traduite ainsi dans *Questions I,* page 182 : « L'obnubilation refuse à l'*alétheia* le dévoilement. Elle ne l'admet même pas comme *sterésis* (privation) tout en préservant pour l'*alétheia* ce qui lui est propre. »

La traduction est ici infidèle, substituant arbitrairement à l'allemand *noch nicht* (pas encore) le français *même pas.* Heidegger a bel et bien dit : « pas encore » et nullement : « même pas ».

Traduisons donc à nouveau en remplaçant aussi obnubilation (?) par *retrait* : « Le retrait refuse à l'*alétheia* l'éclosion, et sans encore laisser à celle-ci le champ libre pour le premier de ses droits, c'est lui [le retrait] qui laisse appartenir à elle [l'*alétheia*] ce qui est le plus proprement sien. »

Que dit ici Heidegger ? Il est certes patent que, sur le chemin frayé par Parménide, l'*alétheia,* selon Platon et Aristote, se rapporte privativement (dépossessivement) au retrait de l'oubli (*léthé*). le « *pas encore* » (*noch nicht*) fait donc signe vers une pensée *antérieure.* Mais quelle pensée ? Ici est visée sans être expressément mentionnée la pensée d'Héraclite qui, en une parole énigmatique, a laissé entendre, pour la première et la dernière fois, que le retrait n'est pas, pour l'*alétheia,* un ennemi, mais préserve en elle ce qui est le plus proprement sien. Héraclite a dit en effet (fr. 123) : « Rien n'est plus cher à l'éclosion que le retrait. » Dans la pensée d'Héraclite, éclosion (*physis*) ne se rapporte donc pas *privativement* à retrait (*kryptesthai*) mais de la manière que dit le verbe *philein,* où l'on entend plutôt ce que la grammaire appellera un *possessif,* à savoir ce qui porte l'éclosion jusqu'à la propriété d'être elle-même. Qu'un tel *possessif* ait pu devenir *privatif* au point que l'*a* initial d'*alétheia* ne soit plus entendu en un autre temps que comme tel, c'est là une « histoire secrète » vers quoi aucun accès n'est encore ouvert. Peut-être une telle histoire est-elle d'un bout à l'autre celle de la philosophie. Peut-être ce « peut-être » est-il ce qu'il nous est donné pour tâche de penser.

Dans *Sein un Zeit,* ce retrait, caractérisé aussi comme retrait d'un monde (*Entweltlichung*) est d'autre part nommé *Verfallen,* que l'on peut traduire par « déclin ». Un tel déclin commence dès la pensée grecque avec la fixation de l'*alétheia* comme « Ouvert-sans-retrait ».

Ainsi l'être apparaît sans nul retrait à Parménide, déjouant souverainement de ce non-retrait l' « égarement » de ceux pour qui n'a de sens que l'étant. N'est-ce pas cependant tout juste à partir de là que se prépare la disgrâce que Platon réserve aux poètes, eux qui jamais ne furent des « Echappés du monde » (Germain Nouveau), celui auquel la philosophie ne se rapporte qu'oublieusement ? Entre poésie et philosophie, la « discorde » est alors allumée — par les poètes, dit Platon, se donnant ici le beau rôle[9]. Plus généreux, les philosophes finiront au contraire par reconnaître au *genus irritabile vatum* une demeure décente, qu'ils lui attribueront sous le nom d'esthétique. Kant ira même jusqu'à réserver, sous le contrôle de la philosophie, à l'étude du beau la première partie au moins d'une troisième *Critique.* Kant sur ce point au moins fera école. Voilà donc les poètes philosophiquement nantis, le sérieux de la chose revenant en priorité au philosophe, tel qu'il se contente en effet aisément et sans trop de frais d'une interprétation « ludique » de l'œuvre d'art.

Avec Heidegger, tout se renverse. La poésie n'est nullement un jeu mais, au service de la parole, l'ouverture initiale d'un monde que déserte au contraire la philosophie avec, au bout d'une longue histoire, les sciences qui sortent d'elle et finalement la remplacent dans la dimension de l'oubli. Autrement dit, il y a plus de « sérieux » dans l'*Apollon* du fronton d'Olympie ou dans *l'Estaque aux toits rouges* de Cézanne que dans l'idéalisme, le matérialisme, le structuralisme et la Sprachanalyse. Mais l'oubli qui porte de plus en plus sur le monde une ombre inapparente n'est pas désolation pure. Il est la « nuit sainte »[10] que salue Hölderlin. Celui dont la tâche est de le penser comme oubli est dès lors plus proche des poètes que ceux qui les relèguent dans le réduit d'une esthétique. « Le penseur dit l'être. Le poète nomme le sacré. (...) Nous ne savons pourtant rien du dialogue qui rassemble poètes et penseurs, *si proches que soient leurs demeures sur des monts que disjoignent leurs cimes*[11]. »

Mais *das Sein sagen,* dire l'être, n'est pas, comme pour le métaphysicien, le montrer. Dire ne parle en effet qu'à partir d'un *non-dit* qui seul porte le dire à sa plénitude. Loin de se vanter de nous offrir une meilleure monstration ou démonstration de l'être que la métaphysique, Heidegger s'en tient à découvrir en s'en émerveillant que, partout où jusqu'ici l'être fut porté au langage, là précisément règne, et depuis l'origine, le retrait. Non que la question de l'être soit, par rapport à celle du retrait, de rang second.

---

9. *République,* X, 607 c.

10. F. Hölderlin, *Brot und Wein,* cf. *Œuvres,* p. 813.

11. *Id, Patmos,* cf. *Œuvres, p. 867; cité par Heidegger, cf. Questions I,* Gallimard, p. 83-84.

Les deux questions n'en font à vrai dire qu'une. « En quoi se propose, à une pensée mémorieuse de l'être, la tâche de le penser en telle guise que l'oubli lui appartienne essentiellement[12]. » Dire l'être est sauver de l'oubli cet oubli même qu'est l'oubli de l'être, entendu, répétons-le, au sens du génitif subjectif. De l'être nous ne pouvons « montrer » philosophiquement que les « figures » qu'il « lègue ou délègue de lui en se retirant[13] », tandis qu'elles éclatent soudain « *wie Knospen* ». Ainsi la *léthé,* Kilimandjaro de l'*alétheia,* culmine secrètement à une altitude qui dépasse d'au moins trois fois celle à laquelle le dernier des métaphysiciens, « au début d'août 1881, à Sils-Maria, à 6 000 pieds au-dessus du niveau de la mer et bien plus haut que toutes choses humaines[14] », a encore une fois montré l'être dans la figure de l'éternel retour comme l'autre visage de la volonté de puissance. A cette parole de Nietzsche Heidegger répond, se parlant un jour à lui-même : « Dans le massif de l'être la plus haute cime est le mont Oubli. »

Le domaine de la parole, qui est celui de la présence, fonde en lui la possibilité de deux cimes dont l'une seulement est Oubli. Si l'autre cime est poésie, elle répond inversement, nous dit le mythe grec, au nom de *Mnémosyne,* qui est celui de la mère des Muses. Tel est ce qu'une longue histoire pourrait bien donner à penser si la pensée savait retrouver à sa source la fidélité du métier. Mais sommes-nous mûrs pour le métier de penser ? N'avons-nous pas plutôt, sur un chemin à peine frayé, presque tout à apprendre ? « Il faut d'abord apprendre à honorer le "positif" dans l'essence "privative" de l'*alétheia.* Ce positif, il faut d'abord l'éprouver comme le trait fondamental de l'être lui-même. Doit en tout premier lieu s'ouvrir la crise que ce ne soit plus toujours le seul étant, mais bien un jour l'être lui-même qui devienne digne de question. Aussi longtemps que cette crise reste en instance, l'essence initiale de la vérité repose encore, inapparente, dans l'abri de son origine[15]. »

---

12. M. Heidegger, *Zur Sache des Denkens,* (Z. S. D.), Niemeyer, 1969, p. 32, cf. *Questions IV,* Gallimard, 1976 et 1982, p. 59.
13. M. Heidegger, *Der Satz vom Grund,* (S. G.), Neske, 1957, p. 183-184 ; cf. *Le Principe de raison,* Gallimard, p. 237.
14. F. Nietzsche, éd. Kröner, XII, 425, cf. *Œuvres posthumes,* Mercure de France, 1934, p. 91.
15. M. Heidegger, *Platons Lehre von der Wahrheit,* (P. L.), *in Wegmarken,* Klostermann, 1967, p. 144 ; cf. *Questions II,* Gallimard, p. 163.

L'ÉNIGME DE Z 3

Parmi les textes dont le groupement constitue ce que l'on appelle la *Métaphysique* d'Aristote, le livre Z est celui où se trouve pour la première fois explicitement déployée comme question de l'être (τί τὸ ὄν) la question directrice qui, d'un bout à l'autre, anime l'ensemble du recueil.

Tout commence par un bref rappel des *Catégories* (chap. I), comme si l'acception catégoriale de l'être allait devenir, pour la suite, déterminante, suivi d'une non moins brève discussion à propos *des* êtres. Qui sont-ils ? Y en a-t-il hors des choses sensibles ? Existe-t-il ou non quelque chose qui en soit séparé ? Mais, avant de répondre à ces questions, il nous faut caractériser dans son type ce qu'est au premier chef l'être lui-même (chap. II). Tel va être le sujet du chapitre III.

Ainsi la question : *ti to on,* ramenée à cette autre : *tis hé ousia,* va devenir enfin : comment donner l'hypotypose, c'est-à-dire la présentation typique de l'*ousia* elle-même ?

Sur ce qui précède, deux remarques :

a) Nous nous abstenons de traduire οὐσία, qui est déjà le nom platonicien de l'être, par « substance », comme on le fait pourtant couramment. Car, adopter cette traduction, c'est réduire dès le départ l'*ousia* à l'une de ses acceptions possibles, à savoir la substance, ou tout aussi bien le *sujet* tel qu'il va être nommé dans les lignes qui suivent.

b) Nous évitons également de considérer l'hypotypose dont parle Aristote comme une présentation à grands traits, c'est-à-dire seulement schématique ou globale, de l'*ousia.* Il s'agit au contraire de la frapper d'une empreinte qui la caractérise typiquement.

Abordons maintenant le chapitre III. C'est là qu'une surprise nous attend.

Dès les premières lignes de ce chapitre, Aristote, fidèle à sa manière, commence par rassembler divers avis sur la question.

L'*ousia,* nous dit-il, apparaît, sinon de beaucoup de manières, du moins selon les quatre titres suivants comme : *ce qu'était être* (*to ti hen einai*), *l'universel* (*to katholou*), le *genre* (*to genos*) et, en quatrième lieu, le *sujet* (*to hypokeimenon*). Non sans humour, semble-t-il, le texte place en tête de l'énumération le plus inattendu, à savoir le *ti hen einai,* et termine par le *sujet,* en précisant que c'est celui-ci qu'il convient d'examiner d'abord du point de vue de son droit à une détermination typique de l'*ousia.*

Cette quadripartition est presque aussitôt suivie par une tripartition qui, dans « ce qui est tel » (τοιοῦτον), fait apparaître les trois moments de la matière (*hylé*), de la forme (*morphé*) et du composé des deux (*synolon*). Suivent trois exemples destinés à éclairer les termes et la remarque que, dans ce tiercé, le premier rang revient à la forme.

Mais comment convient-il d'entendre « ce qui est tel » ? C'est là que commence l'énigme.

Une tradition vieille d'au moins sept siècles, puisqu'elle remonte au moins à saint Thomas, consiste à interpréter « ce qui est tel » comme renvoyant au *sujet,* dernier nommé de la quadripartition. Saint Thomas nous donne à ce propos le commentaire suivant : *Subdividit [Aristoteles] quartum modum praemissae divisionis; hoc scilicet quo dixerat subjectum. (...) Dicit ergo primo, quod subjectum, quod est prima substantia particularis, in tria dividitur; scilicet in materiam, et formam, et compositum ex eis*[1]. On peut dire que depuis saint Thomas tous les lecteurs sans exception, jusqu'à nos contemporains les plus récents, reprendront fidèlement la lecture thomiste.

Il faut attendre l'année 1965 pour que cette lecture « classique » soit pour la première fois examinée d'un regard critique. Telle est l'innovation radicale qu'apporte l'étude de Rudolf Boehm, *Das Grundlegende und das Wesentliche* (Martinus Nijhoff, Den Haag)[2]. Τοιοῦτον, nous dit Boehm, n'a pas pour antécédent *hypokeimenon,* mais bel et bien *ousia.* Le neutre ne doit pas ici, malgré les apparences, nous égarer : *Ein Beispiel dafür, dass das neutrum* τοιοῦτον *sich auf das feminimum ousia beziehen kann, liefert in unmittelbarer Nähe schon eine Stelle in Z 2* (1028 b 18-19). La tripartition de Z 3 ne serait ainsi nullement, en dépit de la tradition, la subdivision du quatrième terme de la quadripartition qui la précède, mais la reprise de la question même de l'*ousia.* La lecture proposée par Boehm nous engage donc à la traduction suivante de tout le début de Z 3 :

1. *In metaphysicam Aristotelis,* éd. M.R. Cathala, p. 382.
2. L'importance du livre de Rudolf Boehm, traduit en français par E. Martineau, a été pour la première fois signalée par J.F. Courtine dans « Shelling et l'achèvement de la métaphysique de la subjectivité » (dans *Etudes Philosophiques,* 1974, nº 2, avril-juin, p. 149, note I, et surtout p. 158-170).

« Elle se dit, l'*ousia,* sinon de beaucoup de façons, du moins principalement sous quatre titres ; en vérité "ce qui devait être", entendu comme l'universel et, dans ce cas, comme le générique, paraît bien être, pour chaque chose, *ousia,* et en quatrième lieu le sujet. Le sujet est ce dont tout le reste est dit, n'étant dit, quant à lui, de rien d'autre ; c'est pour cette raison qu'il faut faire en premier lieu porter sur lui l'examen critique. Quelque chose de tel [que l'*ousia*] est dit d'autre part en un sens la matière, en un autre la forme et en tiers ce qui provient des deux. »

Après avoir donné trois exemples de ce qu'il convient d'entendre par matière (du bronze), par forme (la configuration qu'elle revêt), par provenant des deux (la statue) et souligné que si la figure présentée (*eidos*) a préséance sur la matière, étant plus être qu'elle, elle aura aussi, sur le provenant des deux, préséance pour la même raison, Aristote continue ainsi :

« Notre présentation typique de ce que peut bien être l'*ousia* montre qu'elle n'est pas dite d'un sujet, mais ce dont est dit tout le reste ; il ne faut pas cependant s'en tenir là ; cela n'est en vérité pas assez ; un tel sujet ne ressort manifestement pas en toute clarté, et même la matière devient [alors] *ousia.* »

Le texte pose et justifie ici l'insuffisance du sujet pour la détermination de l'*ousia.* Il la pose en disant : *ou gar hikanon.* Il la démontre en disant : *auto gar touto adélon.* La raison d'*ouk hikanon* est : *adélon gar.* A quoi la démonstration ajoute encore que, si l'*ousia* était seulement sujet, même la matière serait *ousia.*

Commençons par la fin. Si le sujet suffisait à déterminer l'*ousia,* même la matière serait telle. Aristote ne veut évidemment pas dire que la matière sous-jacente n'est pas du tout *ousia.* Il ne manque en effet nullement de textes qui reconnaissent le droit ontologique de l'*hypokeimené physis* (*Phys.* I, 191 a, 8). Mais la matière sous-jacente est le plus bas degré de l'*ousia* ; par exemple, quand on dit de la fontaine qu'elle est « du bois ». Définir l'*ousia* par la sous-jacence qu'implique le concept de sujet serait donc privilégier, du point de vue de l'être, ce qui est seulement sous-jacent, en méconnaissant qu'un tel sous-jacent est à la limite indéterminable. La partie finale de la démonstration ne présente donc pas de difficulté excessive.

Il n'en est pas de même pour ce qui la précède immédiatement, à savoir *auto gar touto adélon,* qui dit l'*inapparence* du sujet comme raison première de son *insuffisance.* A la page 86 de son étude si neuve et si stimulante, Rudolf Boehm interprète *adélon, unoffenbar,* inapparent, par *grenzenlos,* privé de limites. C'est bien en effet ce qu'est finalement la matière : totalement indéterminée dans son fond. Mais, procédant ainsi, l'auteur reste-t-il rigoureusement fidèle au texte d'Aristote qu'il vient pourtant si heureusement d'éclairer par l'interprétation d'ὑποτυποῦσθαι comme annonçant non pas une interprétation « schématique » ou « globale » mais une présentation *typique* et surtout par celle de *toiouton* comme renvoyant à *ousia* et non à *hypokeimenon* ? N'éclaire-t-il pas en effet l'essence même d'*adélon* par ce qui se rapporte à lui dans la dimension de : *et en outre* (*kai eti*)? Dire à quelqu'un : si vous faisiez ce métier, vous le trouveriez ennuyeux et en outre vous y perdriez votre argent, ne revient quand même pas à dire que le métier en question serait éprouvé comme ennuyeux ou fâcheux *en ce qu*'il serait l'occasion d'une perte d'argent. S'il en est ainsi, il faut donner à *adélon,* inapparent, un sens indépendant de ce qu'ajoute seulement *et en outre* et non pas puiser dans ce qui suit *et en outre* de quoi éclairer en retour *inapparent.* Il faut donc creuser en lui-même le sens de ce terme en interprétant toutefois avec Rudolf Boehm : *auto gar touto adélon* comme *dieses selbst (das erste Zugrundeliegende) ist nämlich unoffenbar* (p. 86).

Qu'en est-il donc au juste de l'inapparence du sujet quand il y va de la détermination typique de l'*ousia* ? Inapparent, le sujet l'est à vrai dire de deux manières.

Il l'est d'abord en tant que détermination proprement métaphysique de l'étant et non comme propriété ontique de celui-ci. « Autre chose, dit Heidegger, est de se contenter d'un compte rendu seulement narratif qui porte sur l'étant, autre chose de saisir l'étant dans son être » (*S. Z.,* p. 39). Antisthène disait, paraît-il, à Platon — c'est du moins ce que nous rapporte Simplicius — : « Ô Platon, je vois bien le cheval, mais la chevalité, je n'arrive pas à l'avoir en vue. » Il aurait pu dire au disciple : « Ô Aristote, je vois bien ceci que voici, par exemple cette rose rouge, mais la voir comme *sujet* et en voir l'incarnat comme *catégorie,* je ne puis y arriver. » Ni sujet ni catégorie ne sont en effet des propriétés ontiques de l'étant, les seules qu'Antisthène pût voir. Mais, si les deux échappent au regard naïf, il n'en est plus du tout de même quand intervient ce que Heidegger nomme dans *Phänomenologie und Theologie* (Klostermann 1970, p. 14) : *die Umstellung des auf das Seiende gerichteten Blickes : vom Seienden auf das Sein* — la révolution du regard primitivement fixé sur l'étant quand il se reporte de l'étant sur l'être. C'est sans doute, dit Platon, plus difficile que de « retourner l'huître » (*Rép.,* 521 c). Mais, une fois ce retournement accompli, tout change. C'est dorénavant le sujet avec les autres catégories qui devient apparent comme étant la chose même.

Et cependant Aristote nous dit du sujet : *auto gar touto adélon,* « en lui-même, le voilà devenu inapparent ». Il était pourtant on ne peut plus apparent, du moins dans la quadripartition dont il constitue le quatrième terme, qui est même, selon Aristote, le terme vraiment décisif. Comment donc peut-il être dit inapparent ? Et où ? Il n'est, semble-t-il, à cette question, qu'une réponse possible, à savoir : dans l'espace qui s'ouvre quand on passe de la quadripartition à la tripartition qui lui fait suite. Le sujet qui tout à l'heure venait en tête, voilà qu'on ne le voit plus du tout. Mais alors, que voit-on à sa place ? Quelque chose de très différent, à savoir, dit Aristote, un *synolon* comme *poioumenon.* A vrai dire, celui-ci, on ne le voit même pas et Antisthène à nouveau pourrait objecter : « Ô Aristote, je vois bien cette statue, mais je ne vois pas plus le *synolon* dont tu parles maintenant que tout à l'heure l'*hypokeimenon.* » Voir le *synolon* et voir qu'en lui l'*eidos* est *plus être* que la matière, qu'elle soit marbre ou bronze, suppose une fois de plus ce qui est le propre de la philosophie, à savoir la révolution du regard qui, primitivement fixé sur l'étant, se reporte maintenant de l'étant sur l'être. Mais supposons cette révolution accomplie, alors le *synolon* nous est encore plus présent que la statue elle-même, qui ne s'y rapporte qu'à titre d'exemple.

La question est donc bien celle du rapport exact de la tripartition à la quadripartition qui la précède et Rudolf Boehm a on ne peut plus raison de dire de celle-là qu'elle n'est nullement la subdivision du quatrième terme de celle-ci, mais se rapporte comme elle à l'*ousia* elle-même. Le rapport des deux est donc un rapport entre deux rapports, chacun regardant à l'*ousia* à sa guise, au sens où *médical* est le terme unique où regardent disparatement aussi bien celui qui est une sommité médicale que le régime qu'il prescrit et le malade qu'il traite. Tous regardent, bien que diversement, du même côté, qui est celui de la santé. D'où entre eux un apparentement qui n'a rien de synonymique, et c'est en ce sens qu'être se dit en modes multiples. Il n'y a donc pas lieu de s'étonner que ce qui est apparent dans un cas soit dans l'autre inapparent. Dans une certaine optique qui est celle du *katégoreisthai,* rien n'est plus phénoménologiquement apparent, comme détermination de l'*ousia,* que l'*hypokeimenon,* de qui tout est dit sans qu'il puisse à son tour être dit d'autre chose. Mais, dans l'optique de la *poiésis,* celle par exemple du céramiste, il n'y a plus d'*hypokeimenon* en ce sens. Ce qui est sous-jacent, c'est tout au plus l'argile qui demeure en effet sous-jacente au vase, lui-même entendu à partir de l'*eidos* qui le distingue d'un plat, par exemple, ou d'autre chose qui puisse provenir de l'argile grâce à la merveille du mouvement. Et c'est ainsi que, dans l'optique du céramiste, le « sujet » est inapparent sauf s'il se réduit à l'argile qui, la préséance de l'*hypokeimenon* étant maintenue, serait une définition suffisante du vase ou du plat, ce qui est proprement absurde. Mais l'inapparence de l'*hypokeimenon* ne tient pas tant à l'indétermination finale de la matière, quand on cherche à en creuser le concept, qu'à ceci que le *synolon* n'est pas d'abord un *hypokeimenon* qui deviendrait *synolon* par l'adjonction d'un surcroît, mais autre chose qui sort de l'argile, apte elle-même à « prendre » un certain *eidos* (*Phys.,* I, 191 a 11) si le mouvement et « d'où le mouvement » se mettent de la partie. En d'autres termes, la production céramique d'un vase ou d'un plat, comme la production menuisière d'un coffre ou d'un gouvernail, est irréductible à la « logique » qui ne connaît de l'être que la détermination prédicative de l'étant avec, en tête, *ce dont (*καθ'οὗ) détermination prédicative il y a, à savoir le sujet.

Mais cette irréductibilité l'un à l'autre du catégorial et du poétique d'où résulte dans Z 3 l'inapparence essentiellement relative de l'*hypokeimenon* en domaine poétique ne les sépare pas pour autant à la hache. C'est pourquoi le même langage peut des deux côtés être de saison. Dans l'optique de la production, celle qui ne connaît l'*hypokeimenon* que comme *hylé,* laquelle est bien loin d'être l'*ousia* au sens plein, on peut très bien continuer à parler le langage du catégorial. C'est pourquoi Aristote peut dire (*Mét.,* B, I, 995 b 35) : λέγω δὲ τὸ σύνολον, ὅταν κατηγορηθῇ τι τῆς ὕλῆς, « je parle de *synolon* chaque fois que quelque chose est dit prédicativement de la matière ». Inversement, il assimile volontiers dans un raisonnement à une cause *matérielle* ce que sont les prémisses par rapport à la conclusion. Elles sont, dit-il, ὡς τὸ ἐξ οὗ (*Phys.,* II, 3, 195 a 19), au sens où le gouvernail est ἐκ τοῦ ξύλου, à partir du bois. Un tel emploi des termes dans le domaine où ils n'ont pas pris naissance n'est évidemment pas *synonymique,* mais il est beaucoup plus que *métaphorique.* Il manifeste une parenté essentielle là où les choses sont pourtant très sensiblement différentes. Cet espacement qui n'est pas une rupture diparaîtra cependant au profit de la seule logique lorsque la détermination catégoriale se sera emparée de la question de l'être qu'elle monopolisera à son profit. On tient volontiers aujourd'hui pour manque de maturité chez Aristote le fait que, dans sa philosophie, la question de l'être ne soit pas exclusivement axée sur le catégorial, mais tout aussi bien et encore plus sur le rapport à l'œuvre, comme si le rapport à l'œuvre et à ce qui lui est *telos* et que dit le verbe *epitelein* ne répondait pas à une expérience de l'être plus originale et plus ample dans la détermination catégoriale. M. Léon Robin écrit dans son *Aristote* (Paris, 1954, p. 82), à propos de ce qu'Aristote nomme *possible* ou de ce qui existe *en puissance,* qu'il était « fort en peine de définir cette "possibilité" autrement que par rapport aux "œuvres" dans lesquelles elle se manifeste effectivement » — comme si le possible n'était pas, aux yeux d'une philosophie plus évoluée, quelque chose de beaucoup plus relevé, à savoir sans doute une catégorie de la modalité, au prix de quoi l'avènement de l'œuvre n'est qu'un phénomène grossièrement empirique et pour tout dire anthropomorphique. Heidegger s'émerveille plutôt de ce que M. Robin tient pour une insuffisance. Le rapport à l'œuvre lui paraît, non pas une échappatoire, mais ce qui donne à la pensée grecque de l'être la supériorité de son style. « Ce trait fondamental de l'homme, aucun peuple ne l'a éprouvé plus ouvertement que les Grecs », disait-il dans l'un de ses cours.

Il y a aujourd'hui presque trente ans — c'était en septembre 1948 — eut lieu à Todtnauberg, à propos d'Aristote, un séminaire de Heidegger dont j'étais alors, signe des temps, l'unique participant. Notre question tentait de déterminer à partir de Kant le sens de la philosophie grecque. La force de l'idéalisme transcendantal était, nous l'avions établi, de ne pas présupposer les choses, mais d'en éprouver la présence à partir de leur horizon d'apparition tel que le nomme le mot « transcendantal », c'est-à-dire à partir du « fertile *Bathos* de l'expérience » et non des « tours orgueilleuses de la métaphysique, dressées dans le vent qui, d'ordinaire, souffle à l'entour en abondance » (*Prolégomènes,* appendice final, note de Kant). On a coutume aujourd'hui d'opposer la philosophie transcendantale de Kant à tout ce qui la précède comme constituant sur lui un progrès décisif, la philosophie grecque en particulier demeurant l'asile d'un « réalisme naïf » qui se contenterait de penser l'étant dans l'oubli de la vérité transcendantale et à partir de la seule pression que du dehors il exercerait sur nous. Heidegger me disait au contraire, comme me le disent encore les notes que je prenais tandis qu'il s'expliquait[3] : « Si, pour les Grecs, l'étant n'est au départ nullement rapporté à l'homme entendu comme *Ego cogito,* c'est-à-dire, comme le voulait Husserl, pensé *von dem zentrierenden Ich dahin* et *zum Ichzentrum hin* (cf. *Ideen* I, p. 160, et *Ideen* II, p. 105), tant s'en faut cependant qu'il ne soit rapporté en mode critique à aucun domaine de manifestation à l'intérieur duquel il déploie sa présence. » Toute la question est donc de déterminer ce domaine qui répond au non-dit de la parole grecque. La question devenait alors : « Si d'un côté, pour les Grecs, la question transcendantale qui est la question kantienne est fondamentalement étrangère, mais si de l'autre un réalisme qui se tiendrait à l'écart d'un tel questionnement est *unphilosophisch,* qu'est-ce donc ce qui, chez les Grecs, tient la place de ce qui, aux yeux de Kant, constitue la dimension *a priori* du transcendantal ? » La règle du jeu voulait que ce fût à moi, non à lui, de répondre à la question ainsi posée. Alors commença un extraordinaire exercice de phénoménologie au sens de Heidegger, au cours duquel Aristote avait lui-même la parole, lui dont « la *Métaphysique* n'est en rien ce que l'on nomme communément métaphysique, mais une phénoménologie de ce qui est présent ».

Prenons un exemple, disait Heidegger. Qu'est donc au juste cette fontaine que nous voyons tous les deux devant nous à travers la

3. Les phrases citées entre guillemets dans ce qui suit sont exactement transcrites.

fenêtre ? D'un côté ce n'est que du bois[4]. Cependant, du bois qui traîne çà et là n'est pas une fontaine. Il lui faut, pour que fontaine elle soit, présenter un certain *eidos* qui est celui de la fontaine, non d'une table ou de cette canne qui est, elle aussi, de bois. Si l'*eidos* réclame du bois pour qu'il y ait fontaine, celle-ci n'est pourtant ce qu'elle est que par l'*eidos* qui la présente comme fontaine. En ce sens, l'*eidos* est même plus être que le bois. Mais aucun des deux ne donne à lui seul la fontaine qui est, dit Aristote, l'ἐξ ἀμφοῖν ou le *synolon* de l'un et de l'autre, à l'intérieur duquel l'*eidos* tel que Platon l'avait nommé, joue maintenant le rôle de *morphé.* L'*eidos* de Platon n'est nullement *morphé,* si *morphé* renvoie essentiellement à *hylé,* c'est-à-dire à quelque chose dont Platon ne voulait rien savoir. « Ce bois me gêne », aurait-il dit devant la fontaine. Pour lui, cette fontaine n'est donc pas encore l'être de la fontaine, étant οἷον τὸ ὄν, ὄν δὲ οὐ (*Rép.,* X, 597 a), ressemblante à l'être sans être vraiment. Par là s'éclairait soudain ce qui, même à Kant, vient d'Aristote, à savoir la distinction, dans l'étant en général, de la matière et de la forme, telle qu'elle intervient tout à trac dès le début de l'*Esthétique transcendantale,* mais dont il ne dira que beaucoup plus loin (A 266, B 322) : « Ce sont là deux concepts qui sont à la base de toute autre réflexion, tant ils sont inséparablement liés à tout usage de l'entendement. » Mais, ce qui avant tout s'éclairait, c'était l'horizon à l'intérieur duquel se mouvait toute l'interprétation d'Aristote. Cet horizon était celui de la *production* de la fontaine par la menuiserie qui, note Aristote, « à son affaire devant le bois » (*G. A.,* I, 22, 730 b 5), le met en mouvement jusqu'à ce qu'il devienne fontaine. Un autre mot que production, *poiésis* est celui de *techné,* tel qu'il dit d'autre part, depuis avant Platon et déjà dans Eschyle (*Prométhée,* v. 514) la pointe même du savoir :

> Mais il est, le savoir, plus faible qu'*ananké,* de beaucoup.

Dans l'humble geste du menuisier se tient donc en retrait le plus haut savoir. Telle nous est la leçon des Grecs, que l'on tient bien à tort pour purs « théoriciens » à qui point ne chaut de ce qui relève de la praxis. C'est bien vrai en un sens pour Platon, qui n'admettait comme interlocuteurs valables que les géomètres. Non pas pour Aristote, à qui la menuiserie est plus chère que la géométrie. Non qu'il prétendît apprendre aux menuisiers à mieux faire leur métier : c'est bien plutôt d'eux qu'il s'inspire en s'engageant dans la question philosophique de l'étant dans son être.

Mais d'autre part cette fontaine devant nous apparaît en même

4. La fontaine en question a pour bassin, comme il est d'usage dans la Forêt noire, un tronc d'arbre évidé où l'eau de source retombe d'un bras horizontal que porte un montant vertical, les deux entourés d'une gaine de bois.

temps dans une autre optique. Je puis en effet parler d'elle au lieu de la faire naître du bois et de méditer, à partir du bois, la merveille de sa production. Si la *techné* est, pour les Grecs, le plus profond rapport de l'homme à l'étant, le *logos,* comme *apophantikos,* comme parole indicative, est, aux yeux d'Aristote, un rapport non moins essentiel au même étant, qui n'est plus alors un *poioumenon,* mais un *legomenon.* Il n'en est pas moins en ce cas rejoint jusqu'à son être. Mais alors il apparaît tout autrement. L'*hypokeimenon* qui, dans l'optique du rapport à l'œuvre, ne pouvait être qu'*hypokeimené physis,* par exemple le bois dont le menuisier dispose pour produire une table ou un coffre, est maintenant un tout autre sous-jacent, à savoir le καθ'οὗ du κᾶτηγορεῖσθαί qu'est, comme discours portant sur lui, mon rapport essentiel à l'étant. Un tel *hypokeimon,* qui tout à l'heure était *inapparent,* devient maintenant ce qui au contraire *transparaît* (*emphainetai* — *Mét.* Z, I, 1028 a 28) partout et vers lequel « *remontent* (*anapherontai*) toutes les autres catégories » (*Mét.,* Θ, I, 1045 b 26). Autrement dit, c'est tout le paysage qui a changé, bien qu'il s'agisse toujours de la même chose. Voilà qui cependant pour Aristote n'allait nullement de soi, mais lui fut bien plutôt cet émerveillement à partir duquel, nous dit-il, « les hommes s'engagèrent dans la philosophie » (*Mét.,* A, 2, 982 b 12 sq.), comptant par là faire cesser leur émerveillement initial en réservant leur capacité de s'émerveiller pour l'apparition éventuelle de quelque chose de différent de ce qui est. Ainsi, « rien n'émerveillerait autant un géomètre que de voir la diagonale du carré devenir commensurable à son côté ». (*Id.,* 983 a 20 sq.). On peut dire cependant que, devant la multiplicité des « acceptions de l'être », Aristote ne cessa jamais de s'émerveiller. C'est bien pourquoi il répète à maintes reprises méditativement : *to on legetai pollachôs.*

Si l'étant dans son être est bien l'*hypokeimenon* que connaît catégorialement la logique comme grammaire de la parole portant sur lui, il est aussi tout autre chose s'il apparaît dans l'horizon de la *techné.* Et Heidegger en 1948 disait : « Par là nous voyons que, pour l'interprétation ontologique de l'étant qu'est la métaphysique d'Aristote, sont également déterminants les *deux* horizons différents que caractérisent les *deux* termes de *techné* et de *katégoria* chacun des deux ne cessant pourtant de renvoyer "analogiquement" à l'autre. » Là où Kant, croyant remonter jusqu'au secret de l'apparition de l'étant, ne voyait qu'*un,* confondant à sa guise, comme Aristote le disait de Platon, « symphonie et homophonie, rythme et pas cadensé » (*Pol.,* II, 5, 1263 b 34), Aristote voit *au moins deux.* Il ne restait donc plus qu'à conclure : « Avec ces *deux* intitulés nous venons de nommer ce que nous cherchions quand nous nous demandions tout à l'heure : quelle est donc, dans la question grecque de l'étant dans son être, la dimension inapparente qui répond cependant à ce que sera pour Kant la problématique transcendantale de la chose comme objet de la représentation ? »

C'est ainsi que Heidegger, attentif au non-dit de la pensée grecque, me faisait apparaître l'énigme de Z 3 comme l'un des reflets de la multiplicité des acceptions de l'être dans la philosophie d'Aristote, en m'apprenant à voir que la tripartition qui suit la quadripartition est bien retour à la source, mais dans un autre horizon que celui où s'était déployée la quadripartition. Si ce changement d'horizon n'est pas explicité, c'est parce qu'il est omniprésent. Tout le début de Z 3 ne se laisse lire que sous la présupposition axiomatique : « *Puisque l'étant dans son être se manifeste en modes multiples, l'*ousia *apparaît d'une part, sinon en beaucoup de manières, du moins sous quatre titres dont le quatrième, à savoir le sujet, est le plus important (...) et d'autre part est dite comme matière, comme forme et comme le composé des deux.* » Dans cette lecture, le *de* de 1029 a I fait écho au *de* de 1028 b 33 à partir d'une clause ici sous-entendue. Mais, s'il en est ainsi, il n'est même plus nécessaire de rapporter le neutre *toiouton* au féminin *ousia.* Il peut tout aussi bien se rapporter à *hypokeimenon,* qui est d'autre part un mot merveilleusement plurivoque. Si l'*hypokeimenon,* entendu dans la quadripartition comme καθ'οὗ, devient, dans la tripartition, l'*ousia hypokeimené,* il a aussi encore un autre sens qui dit, renforçant seulement le radical *keisthai,* l'entrée dans la présence au sens où, dans l'*Odyssée* (VII, v. 245), « Ogygia, comme l'une des îles, loin d'ici dans la mer apparaît (*keitai*). »

Nous lirions dès lors ainsi le texte de Z 3 : Puisque l'étant dans son être se dit en modes multiples, l'*ousia* est d'une part avant tout manifeste comme *hypokeimenon* pris au sens de καθ' οὗ, mais celui-ci d'autre part se déploie devant nous non seulement en ce sens, mais comme la présence la plus propre de la chose même à partir de ce qui lui est matière et forme et grâce à la composition des deux. En d'autres termes, l'essentiel n'est pas tant de rapporter *toiouton* à *ousia* que l'ensemble du texte à l'axiome inexplicite que l'étant dans son être se dit en modes multiples. Si l'*hypokeimenon* est insuffisant pour la détermination entière de l'*ousia,* ce pourrait n'être que comme καθ'οὗ et comme *ousia* seulement *hypokeimené* qu'il deviendrait inapparent. C'est peut-être à quoi s'en tenait Heidegger qui, en 1948 et aujourd'hui encore, interprète *hypokeimenon* en un autre sens que καθ'οὗ et *hylé,* le terme disant lui-même le retour à la source que requiert une lecture compréhensive de Z 3. On peut cependant préférer la lecture de Rudolf Boehm, comme pédagogiquement plus radicale et philologiquement plus élégante, dans la mesure où elle manifeste une *tension* entre l'*ousia* et l'*hypokeimenon* [5] au sens logique ou matériel. C'est dire qu'il est

5. C'est ainsi qu'Emmanuel Martineau, traducteur du livre de Boehm, caractérisait un jour son point de départ.

difficile de trancher. Heidegger écrit dans *Vorträge und Aufsätze* (p. 261) : « Vouloir courir après la doctrine objectivement exacte d'Héraclite, c'est là une entreprise qui se soustrait au danger salutaire d'être jamais atteint par la vérité d'une pensée. » On peut en dire autant à propos d'Aristote. Toutefois, entendre dans *hypokeimenon* une multiplicité de sens ne signifie cependant pas qu'Aristote se tiendrait quitte à peu de frais, à la faveur d'un glissement du sens, mais qu'il est avant tout sensible à la richesse plurielle du sens des termes, tandis que nous, disait aussi Heidegger au Thor en 1966, « en sectateurs de la logique, nous croyons au contraire qu'une parole n'est sensée que si elle n'a qu'un sens ». En d'autres termes, *hypokeimenon,* avec le sens qu'il a dans l' « univers du discours », n'est peut-être déjà que la retombée d'un *hypokeimenon* entendu d'une manière plus essentielle et plus ample, d'où retombe aussi le sens très légitime qu'il a comme *hypokeimené physis.*

Reste maintenant, de retour à la première phrase du texte, à nous demander pourquoi le premier terme de la quadripartition que propose, non sans humour peut-être, avions-nous dit, Aristote, est cet insolite τί ἦ εἶναι, qui va revenir dans Z 4 pour y devenir sujet d'enquête, et qui, ultérieurement, sera proposé comme le dernier mot de l'*ousia* dans un autre horizon que l'univers du discours. Saint Thomas, sans manifester nul étonnement, se borne à le rendre en latin par *quod quid erat esse,* comme s'il était tout naturel qu'Aristote parlât ainsi. Il faudra, semble-t-il, attendre Schelling pour que pour la première fois un philosophe — sinon un philologue — à ce sujet s'inquiète, comme le fait Schelling dans la dix-septième leçon de *l'Introduction à la philosophie da la mythologie,* qu'il faut rattacher, nous dit son fils, à son œuvre dernière. Dans son étude sur le *Problème de l'être chez Aristote* (P.U.F., 1962, p. 460), M. Aubenque nous dit que « l'expression, peut-être forgée d'ailleurs dans le milieu platonicien, devait être familière à ses auditeurs ». Il est permis d'en douter, en pensant avec Heidegger (*S. Z.,* p. 39) qu'elle se rattache bien plutôt à cet *Unerhörtes an Formulierungen... die den Griechen von ihren Philosophen zugemutet wurden,* à ce qu'avaient d'inouï les façons de dire par lesquelles les Grecs étaient mis à l'épreuve de la part de leurs philosophes.

Τί ἦν εἶναι apparaît comme une interprétation d'*eidos,* comme il est précisé dans *Physique* II, 2, 194 a 20-21, où il nous est dit que les seuls Empédocle et Démocrite, bien que petitement, τοῦ εἴδους καὶ τοῦ τί ἦν εἶναι ἥψαντο, ont touché à l'*eidos, c'est-à-dire* au *ti hén einai.* Les deux locutions ont d'ailleurs leur emploi non seulement dans l'horizon de la *Physique* mais aussi dans celui que nous est l' « univers du discours », comme on le voit dès les *Premiers Analytiques* (sinon dans les *Catégories* et le *De interpretatione*). Mais, là, elles ne regardent encore que du côté des *katégoroumena,* qui supposent comme plus essentielle la relation catégoriale à l'*hypokeimenon*. Dans cette optique, le *ti hén einai* apparaît bien sur le plan de l'*ousia*, mais il n'y est que de rang second. La priorité du *ti hén einai* n'intervient qu'avec le changement d'optique qui, dans Z 3, pose l'*eidos* comme *plus* être que la matière et le *synolon*, l'*hypokeimenon* au sens de la logique y étant devenu « inapparent ». C'est dire qu'il n'y a aucune « ambiguïté » (Robin), encore moins aucune « contradiction » (Brunschvicg) à poser l'*eidos* à la fois comme *ousia deutera* dans les *Catégories* et comme *ousia prôté* dans la *Métaphysique* (Z 7, 1032 b 1-2). Prétendre débusquer des contradictions chez un penseur du rang d'Aristote est l'entreprise la plus frivole à quoi se puisse vouer ce que Hegel nommait le « délire de la présomption » et Heidegger la « sécurité somnambulique » qui font le lecteur expéditif passer à chaque fois à côté de ce qui est en question.

Aber das Imperfectum ? (mais l'imparfait ?), demandait Schelling (*Introduction à la philosophie de la mythologie*, t. II, p. 171, Aubier, Ed. Montaigne). Il nous montre d'autant mieux, me dira Heidegger en 1962, la solidarité étroite du *ti hén einai* et de l'*eidos* en tant que celui-ci est essentiellement, nous dit Platon, un *anamnéston*. Je ne puis, en toute rigueur, me *ressouvenir* que de ce qui, antérieurement (*proteron*, *Phédon*, 76 e) *était* déjà, avant d'être devenu, pour une raison ou pour une autre, inapparent. Ce qui vibre dans l'imparfait *hén*, c'est essentiellement l'*anamnésis* platonicienne, bien que même Schelling n'arrive pas à le dire précisément. S'il s'agit de l'être de l'étant, la question est donc, à la lettre, celle de ce que lui *était* être, à cet étant, pour que l'on puisse s'en ressouvenir. On ne peut ici que s'émerveiller de l'ingéniosité déployée par les récents commentateurs à « expliquer » l'imparfait d'Aristote, négligeant cependant son rapport essentiel à Platon, au point que M. Aubenque va jusqu'à demander à Solon de la lumière sur Aristote (*op. cit.*, p. 468 et sq.).

La question demeure cependant la suivante : pourquoi Aristote double-t-il le *ti esti* de la chose, celui que rendait manifeste l'*eidos* platonicien, d'un *ti hen einai* ? Ce n'est quand même pas seulement pour rappeler qu'à l'apparition de l'*eidos* l'*anamnésis* est essentielle, car il y aurait alors identité entre *ti esti* et *ti hén einai*, alors qu'Aristote, dans bien des textes, les distingue, allant jusqu'à les jouer l'un contre l'autre. Il nous faut donc creuser un peu plus avant la distinction des deux.

Une tentative de ce genre exige que l'on remonte, sinon peut-être jusqu'à Solon, du moins jusqu'à Socrate. Socrate, comme on sait, « tannait » ou plutôt, si j'ose dire, « taonnait » ses contemporains (*Apologie*, 30 e) en les poursuivant de questions qui, toutes, se ramenaient à l'unique question *ti esti* : Qu'est donc la piété, la beauté, la sagesse, le courage, la vertu, etc. ? Il ne s'agit nullement ici de la question de l'être, telle qu'avant Socrate l'avaient si hardiment ouverte aussi bien Héraclite que Parménide, et qu'à partir de Socrate la reprendra Platon, mais, dans le contexte des questions socratiques, de « chercher le général en appliquant la pensée à des définitions » (*Mét.* A, 6, 987 b 3-4). Si cependant Socrate, comme il nous le raconte à propos d'Anaxagore, s'est vite découragé de procéder *ta onta skopôn,* à l'examen des étants dans leur être (*Phédon* 99 d), pour ne plus s'occuper que du *prakteon,* c'est-à-dire περὶ τὰ ἤθικα πραγματέυεσθαι (*Mét.,* I, 29), chez lui le verbe n'en est pas moins essentiellement déterminant, déterminé qu'il est par son rapport avec *ti* dans la question : *ti esti.* Tel est le moment socratique que Platon à son tour, « ayant agréé Socrate pour maître », fait sien. Non cependant pour s'en tenir là. Le regard platonicien n'est pas seulement, pour ce qui est en question, la recherche du *ti,* mais la prise en vue du *ti* lui-même en tant que tel et son interprétation par l'*eidos,* ce qui ne va nullement de soi, mais doit nous être émerveillement. Le chemin qui conduit à Platon comporte ainsi deux étapes. D'abord, la réduction socratique du ζητητέον au *ti* (*Philèbe,* 58 e), puis l'interprétation *éidétique* du *ti* lui-même. Ce n'est plus seulement le moment socratique, mais l'apport proprement platonicien, comme Heidegger avait tenté de le montrer à un auditoire réfractaire lors de la conférence de Cerisy. On peut dire qu'Aristote, sur le même chemin que Platon, entreprend de la parcourir en sens inverse de Platon. Il se demande : en quoi l'*eidos* est-il vraiment déterminant du *ti* ? C'est là cependant qu'une surprise nous attend. Dans le développement de la question ainsi inversée, voilà en effet que le *ti* se dédouble et, à celui qu'avait connu Platon mais qu'Aristote trouve *maintenant* (nous est-il dit dans la *Génération des animaux,* II, 8, 748 a, 8) trop général (*katholou lian*) s'oppose un autre *ti* qui se détermine non seulement comme le *ti esti* mais comme ce qu'il y a en lui de *propre* (2 *Anal.,* II, 6, 92 a 7 sq.). C'est ce qu'Aristote nomme, dans le *De anima,* envisager le *ti esti : kata to ti hén einai* (III, 6, 430 b 28) ou, comme il l'avait déjà dit : κατὰ τὸ ὀκεῖον καὶ ἄτομον εἶδος (III, 416 b 27).

Si l'essence la plus intime de l'*ousia* est, dans l'horizon du rapport à l'œuvre, l'*eidos,* celui-ci à son tour n'est pleinement lui-même que comme *ti hén einai.* C'est ce que n'avait pas pu voir Platon, penseur pourtant de l'*eidos,* car, devant les choses, « il n'en traitait éidétiquement que pour rester à l'étage au-dessus » (I *Anal.,* I, 31, 46 a 34). Mais alors la question rebondit. Si l'essence la plus intime de l'*eidos* est le *ti hén einai,* jusqu'où est-il possible de pousser la recherche de celui-ci sans le confondre avec l'accidentalité ? Il revient ici à M. Léon Robin d'avoir pour la première fois tenté d'éclairer la question dans une note « Sur la notion d'individu chez Aristote », publiée par la *Revue des sciences philosophiques et théologi-*

ques (tome XX, 1931) et reproduite dans *La pensée hellénique des origines à Epicure* (P.U.F., 1942, p. 486 à 490). Si, dit M. Robin, dans la plupart des cas, le *ti hén einai* s'en tient à déterminer l'espèce dernière comme quand, devant un oiseau qui vole, au lieu de me borner à dire : ce n'est pas un papillon, c'est un oiseau, je vais jusqu'à dire : ce n'est pas seulement un oiseau, mais c'est une alouette, dans les *Parties des animaux* il y a au moins un texte dans lequel Aristote paraît aller jusqu'aux individus eux-mêmes, c'est-à-dire jusqu'à « assimiler Socrate et Coriscos aux *eschata eidé* » (*P. A.* I, 4, 644 a 23-b 7). Le *ti hén einai* de Socrate serait donc en dernière analyse l'apparition (*eidos*) de Socrate lui-même. Il n'est pas seulement un homme, pas seulement un philosophe, etc. A son approche, ses disciples ne disaient pas seulement, nous allons *humaniser* ou *philosopher*, mais bel et bien *socratiser*. Telle sera, dans la scolastique du XIVe siècle, comme question de l'haeccéité, la question encore quasi « quidditative » de Socrate *ut hic*, au sens où Valéry dira aussi :

> Où sont des morts les phrases familières,
> L'art personnel, les âmes singulières ?

Cela ne se comprend pas, comme Aristote le dit bien souvent, à partir de l'*ousia* comme *hypokeimené*, mais relève bel et bien de l'*eidos* au sens de *ti hén einai*.

Irons-nous donc jusque-là, supposant avec M. Robin que le texte des *Parties des animaux* « n'est pas corrompu » ? On peut bien dire que c'est toute la pensée d'Aristote qui, dès le départ, va en ce sens. Le dernier mot de sa philosophie n'est-il pas en effet que l'*ousia* est le *tode ti*, « ceci que voici », que la logique interprète ontologiquement comme le sujet dont tout sera dit, sans qu'il puisse être dit de rien d'autre ? Il y a en effet, dans l'univers du discours, un renversement nécessaire du *kata tinos* sur le καθ'οὗ, c'est-à-dire sur ce *dont* le *logos* est *logos*, autrement nous ne parlerions de rien. Mais, dans l'horizon où le sujet devient précisément inapparent et où c'est alors l'*eidos* qui se manifeste comme *ousia prôté*, alors tout devient par là même plus problématique, et le dépassement du platonisme y est moins aisé. Car l'*eidos*, même pensé comme *ti hén einai*, garde encore la nature socratique du *ti*. Par là, même le rapport à l'œuvre, entendu comme le trait le plus propre de l'étant dans son être, n'arrive plus à se délivrer de l'ombre portée sur elle par le *ti*, fût celui-ci pensé comme *eidos* et l'*eidos* comme *ti hén einai*. C'est bien pourquoi Nietzsche dira, lui qui prétendait pourtant « être resté poète jusqu'aux limites les plus extrêmes du terme » (lettre à Erwin Rohde, Nice, 22 février 1884) : « Socrate, confessons-le, m'est si proche que je suis presque toujours en lutte avec lui » (éd. Kröner, tome X, p. 217).

Cette « lutte avec Socrate » qu'exige pourtant la pensée du

rapport à l'œuvre, qui pour Aristote était l'horizon le plus propre de l'apparition de l'étant comme *tode ti,* Heidegger nous la rend présente en posant en 1935 la question de *L'origine de l'œuvre d'art.* Il lui suffit de rappeler un poème qui était à l'époque dans la mémoire de tous ses auditeurs, car ils avaient tous appris par cœur à l'école « La fontaine romaine » de Conrad-Ferdinand Meyer :

> Le jet s'élève, et puis retombe,
> Remplissant la vasque de marbre
> Qui, sous un voile d'eau, déborde
> Dans l'espace d'une autre vasque ;
> Celle-ci, trop riche à son tour,
> Se répand encore en une autre,
> Et chacune à la fois prend et donne,
> Verse et repose.

Heidegger se borne à ajouter : « Il ne s'agit pas plus ici de la description poétique d'une fontaine à Rome qui existerait réellement que de l'identification éidétique d'une fontaine en général. Mais c'est la vérité elle-même qui est mise en œuvre » (*Holzwege,* p. 26-27).

La mise en œuvre de la vérité dans la singularité de l'œuvre poétique, n'est-ce pas pourtant Aristote qui le premier s'en préoccupe, rompant ainsi formellement avec son maître, selon qui les poètes devaient au contraire être exilés de la cité, c'est-à-dire du domaine qu'il revient à la philosophie de régir ? Ils seront exilés, précise Platon, avec de grands honneurs et conduits non pas à l'*Archipel du Goulag,* mais seulement εἰς ἄλλην πόλιν chez d'autres (*Rép.,* III, 398 a), car ils n'en sont pas moins, chez nous, nuisibles et superflus. Voilà qu'au contraire Aristote devient l'auteur d'une *Poétique,* où il fait l'éloge de la poésie qui est, dit-il, en sens contraire de son maître, « plus philosophique et digne d'être cultivée que ce qui n'est qu'information au niveau de l'étant » (IX, 1451 b, 5 sq.). Mais cette apologie, ce n'en est pas moins au nom de la philosophie qu'elle nous est adressée, car c'est de ce point de vue que la poésie vaut mieux que l'information pure et simple. Or, le propre de la philosophie, c'est essentiellement de prendre en vue le *katholou,* le *général.* La poésie, qui nous met cependant « sous les yeux » (*Rhét.,* III, 11, début), comme l'information : « La marquise sortit à cinq heures », quelque chose d'individuellement unique, n'en demeure pas moins une prise en vue du général. Mais, ici, que veut dire au juste par cette locution Aristote ? Il s'en explique au chapitre XVII de la *Poétique,* à propos de la Tragédie, dont il nous dit (chap. IV) qu'elle eut pour origine le dithyrambe, ce que Nietzsche saura développer à sa façon. Prenant pour exemple l'une des dernières tragédies d'Euripide, *Iphigénie en Tauride,* il continue ainsi : « Voici ce que j'entends par prendre en vue le général, à propos d'*Iphigénie* par exemple : une jeune fille qui allait être sacrifiée est soustraite à leur insu aux sacrificateurs pour être transportée dans une autre contrée, où l'usage était d'immoler les étrangers à la déesse ; elle y est investie de ce sacerdoce ; plus tard, le frère de la prêtresse arrive en cette contrée, et cela parce que l'oracle du dieu lui avait prescrit de s'y rendre pour un certain motif et en vue d'un but étranger à l'histoire représentée, donc *kata symbebékos* ; arrivé là et fait prisonnier, sur le point d'être sacrifié, il rend manifeste qui il est. (...) En quoi réside la cause du salut. » Nous avons bien entendu : plus d'Iphigénie, ni d'Oreste, mais une jeune fille et son frère, plus de Tauride, mais une contrée. Apollon lui-même et Artémis ne sont pas nommés. Tous les noms propres sont effacés. Reste une situation générale dans laquelle n'importe qui peut présomptivement, un jour ou l'autre, se trouver — en quoi la poésie est « plus philosophique » que la simple « histoire » des Atrides. C'est par là que l'*Iphigénie* d'Euripide *theôreitai to katholou* (1455 b 2).

Ce texte nous montre jusqu'à quel point le socratisme, à travers Platon, retient Aristote à distance de ce que pourtant il voudrait dire, de ce qu'il dit mieux que Platon par son interprétation de l'*eidos* comme *ti hen einai,* mais qui lui échappe cependant à cause de l'attraction que lui demeure la généralité platonicienne de l'*eidos.* Même le comble de présence qu'est celle de l'œuvre d'art lui reste inéluctablement présence éidétique. Si Aristote va jusqu'à penser l'être comme la merveille simple de l'*energeia,* ce qu'il ne fait pas encore dans Z, qui ne répond qu'à la préparation du terrain en vue d'une percée beaucoup plus décisive, celle du livre H, et plus encore de Ξ, le platonisme d'où il est issu lui demeure un « atavisme », comme dirait Nietzsche, dont il ne peut se libérer. Heidegger le constate dans son *Nietzsche* (tome II, p. 409) : « Qu'Aristote [comme penseur de l'*energeia*] pense en cela d'une manière beaucoup plus grecque que Platon ne signifie pas pour autant qu'il deviendrait à nouveau plus proche de la pensée initiale de l'être. Entre l'*energeia* et l'essence initialement secrète de l'être (alétheia-physis), se dresse l'*idéa.* » A celle-ci se rattache le *ti hén einai.*

C'est pourquoi nous ne pouvons plus être entièrement d'accord avec M. Rudolf Boehm quand, dans son étude déjà citée, il en vient à écrire (p. 172-173 et 203) : « L'être en ce qu'il était ne nomme en fin de compte pas autre chose que — pour le dire avec Heidegger — la merveille de toutes les merveilles : *Qu'*étant *il y a.* »

Sans doute le livre Z, allant jusqu'où il va, ne va-t-il pas plus loin. Non pas cependant la *Métaphysique* d'Aristote, où il est une étape à vrai dire essentielle, mais une étape seulement, car, comme le remarque très justement M. Tugendhat (Ti kata tinos, Freiburg-München 1958, p. 88), le penseur, dans ce livre, « garde encore une grande réserve » par rapport aux concepts qui conduiront la recherche ultérieure[6]. La merveille des merveilles, si tant est qu'on en cherche la trace ou, si l'on veut, l'écho dans la parole d'Aristote, est bien plutôt ce que Z ne dit pas explicitement, réduisant au départ à la diversité des catégories la pluralité des acceptions de l'être, à savoir qu' « en vérité l'un et l'être, s'ils se disent en guises multiples, c'est l'entéléchie qui en est le sens principal » (*De anima*, II, 412 b 8-9). De ce point de vue, le *ti hén einai* n'est que l'interprétation la plus résolue de ce qui retient même ce sens principal sous la dépendance de l'éidétique platonicienne. Ce n'est donc pas le *ti hén einai*, c'est bien plutôt la richesse de l'être en acceptions multiples qui, dans la parole d'Aristote, fait signe vers la merveille : « *Dass* Seiences *ist* ».

Dans un tel *Dass* vibre anticipativement ce pour quoi nous sommes encore nous-mêmes *allzu unangefangen* (*Was heisst Denken ?*, p. 45), trop petitement commencés, pour pouvoir le penser comme, disait un jour Heidegger : *das noch unbegreifbare und schon als physis aufgegebene « Dass » des Ereignisses*, le « Dass » encore inconcevable, bien qu'il nous soit déjà, en tant que *physis*, proposé comme tâche, celui de l'*Ereignis*. Même le *pollachôs legesthai* de l'être au sens d'Aristote n'en est qu'une « accalmie » (*Stillstellung*). C'est bien cependant au fil conducteur de la parole d'Aristote, dans une méditation poursuivie durant quinze années, que Heidegger en vint à dégager, avec *Sein und Zeit*, la question du *sens* de l'être, avant de creuser cette question elle-même au cours d'une « seconde navigation » qui suspendit en son temps la publication d'une *suite* pure et simple de *Sein und Zeit*.

L'énigme de Z 3 a plus de deux mille ans, et en ce sens est loin derrière nous. Mais peut-être est-ce précisément pour cela qu'elle nous garde en réserve un avenir plus essentiel que celui dont prétend se saisir la futurologie. *Das Alteste des Alten kommt in unserem Denken hinter uns her und doch auf uns zu.* Le fond des âges, quand notre pensée s'ouvre à lui, c'est de derrière nous qu'il vient et cependant il vient tout droit sur nous.

---

6. Dans Z, les mots *energeia* ou *entelecheia* ne se rencontrent à ma connaissance que trois fois.

ARISTOTE ET LA TRAGÉDIE

La présence non contestée d'une *Poétique* dans l'œuvre d'Aristote atteste le rapport et l'opposition d'Aristote à Platon, c'est-à-dire le point central de la position philosophique d'Aristote, si Platon, à contre-cœur sans doute, lui à qui la citation d'Homère est si naturelle et dont la prose demeure partout artiste, trouvait bon, au moins dans la *République,* d'éloigner les poètes de l'espace contrôlé par la philosophie. Disons que pour Aristote, au contraire, la poésie est elle aussi, tout autant que la mathématique, un écho de l'être, manifestant ainsi d'autant mieux en quel sens plus secret il entend le vocable d'être, dont il se borne à communiquer çà et là, et souvent dans une incidente, que *to on legetai pollachôs.*

La poésie aux yeux d'Aristote comporte différents genres, au premier rang desquels il place d'autre part celui qui était le plus décrié par Platon, à savoir le genre proprement *attique* de la tragédie. Là où Platon éclaire l'adjectif τραγικόν par τραχύ (*Cratyle* 408 c), qui évoque une idée de non-aplani et de mal dégrossi, au sens où nous parlons encore de la « trachée artère » par opposition à des vaisseaux plus lisses, Aristote proclame la supériorité de la tragédie comme genre sur l'épopée elle-même, ce qui ne veut pas dire que les poètes tragiques soient au-dessus de l'incomparable Homère.

Dans son étude de la tragédie, Aristote nous transmet une tradition qui sera pour le jeune Nietzsche un trait de lumière, à savoir que son origine est à chercher du côté des ἐξάρχοντες τὸν διθύραμβον (1449 a). Ne s'agirait-il pas, se demande Nietzsche, de ceux qui ont à expliquer l'ensemble, comme dans un Prologue à la manière d'Euripide ? Ne s'agirait-il pas plutôt du *chœur* lui-même ? Ainsi je crois, dit Nietzsche. Il s'agit donc bel et bien de ceux qui *entonnent* le dithyrambe, à savoir du chœur lui-même, sans que rien d'autre encore lui soit apposé. Nietzsche s'inspire ici d'un vers d'Archiloque : « Et moi aussi je m'entends à entonner le dithyrambe. » C'est seulement ainsi en climat dionysiaque qu'Apollon vient « toucher de son sceptre ceux qu'il reconnaît comme siens ». Ce n'est pas Archiloque qui le dit, mais Nietzsche, au chapitre v de son livre. On peut contester l'interprétation de Nietzsche et jusqu'au caractère tragique du dithyrambe. Ce sera pour une autre fois.

Ce qu'atteste la *Poétique,* c'est avant tout le goût qu'avait Aristote pour les poètes tragiques. Allait-il, au cours de sa longue scolarité platonicienne, jusqu'à assister à l'insu du Maître à la représentation des spectacles tragiques ? Il ne le dit pas. Je crois qu'il lisait plutôt, tenant même le spectale pour non indispensable (1450 b, 19-20). Sans doute lisait-il à voix haute (nous n'en sommes pas encore à Ambroise qui, à l'étonnement d'Augustin, lisait des yeux, tandis que *vox et lingua quiescebant.* — *Confessions,* éd. Budé, I 120), ou se faisait-il lire le texte. Mais enfin il est question, dans la *Poétique,* d'Eschyle, de Sophocle et d'Euripide.

Merveilleux temps que n'a pas connu Aristote ! Il arrive tout juste après. Mais enfin Sophocle est d'à peine trente ans plus jeune qu'Eschyle (moins que Racine par rapport à Corneille) et Euripide le cadet de Sophocle d'à peine quinze ans (moins que Racine par rapport à Molière). Ils sont cependant si différents qu'on les imagine séparés par beaucoup plus de temps. C'est qu'à cette époque de la Grèce l'*accélération de l'histoire,* comme on dit aujourd'hui, est à son comble. Nous qui prétendons la vivre sommes des stagnants, comparés aux coureurs qui nous ont mis en route. Schelling sera le premier à s'en émerveiller. Avec Heidegger, l'émerveillement est à son comble.

Dans un bref exposé, il est impossible d'entrer dans les détails. Suggérons seulement une thèse : *La définition qu'Aristote propose de la tragédie est proprement euripidienne. Mais, en développant cette définition, il remonte secrètement d'Euripide à Sophocle et à Eschyle.*

Proprement euripidien est en effet de dire avec Aristote que l'« imitation » tragique (terme que nous ne commenterons pas), qui suppose des acteurs et non, comme l'épopée, la simple notification d'un récit, suscite pitié et terreur, en opérant la « purgation » (terme que nous ne commenterons pas non plus) propre à de pareilles émotions (1449 b, 25 à 28). C'est la tragédie envisagée du point de vue du spectateur, celui-ci étant, comme le soulignera Nietzsche, la création euripidienne par excellence. Le rôle de la poésie tragique n'est-il pas de le faire, dit crûment Aristote, καὶ φρίττειν καὶ ἐλεεῖν (1453 b, 5), de lui donner le frisson et de le faire s'apitoyer, bien que *kathartikôs,* qui est le *nec plus ultra* de la chose ? L'allemand dit à ce sujet, d'un mot presque intraduisible, de lui procurer des *Erlebnisse,* disons approximativement des sensations. Ce terme intraduisible, Nietzsche le commente cependant en disant que le propre de l'*Erlebnis* est, à la manière des mouches ou des moustique, d'« irriter encore l'épiderme, mais en laissant le cœur vacant ». Quoi de plus délectable en effet pour un tel spectateur, que Nietzsche compare à un « famulus débonnaire et matois », là où la Phèdre de Racine dira :

> Ce n'est plus une ardeur dans mes veines cachées :
> C'est Vénus tout entière à sa proie attachée

d'entendre Hécube, rétorquant, dans *Les Troyennes,* à Hélène, qui parlait comme Phèdre :

> Il était, mon garçon, aussi beau que le jour.
> C'est ton regard sur lui dont tu te fis Cypris,
> Car leur délire est pour les mortels Aphrodite
> Il commence ce nom divin comme Aphrosyne.

Cette complicité démagogique avec le spectateur est ce qu'on appelle aujourd'hui « démystification ».

Or Aristote, avant même d'avoir proposé sa définition de la tragédie, avait cependant déclaré, se situant par là au niveau d'Eschyle et de Sophocle plutôt qu'à celui d'Euripide : Ἀρχὴ μὲν καὶ οἷον ψυχὴ ὁ μῦθος τῆς τραγῳδίας, « le principe et comme l'âme de la tragédie, c'est le mythe » (1050 a, 39 sq.). Avec Eschyle et Sophocle, la tragédie est essentiellement la présentation poétique du mythe et non son exploitation dramatique à dessein du spectateur. Quant au mythe lui-même, comme le savait Homère, il y a très peu à y changer, sinon c'est dire « ce que veut le poète, non ce que veut le mythe » (1454 b, 33 sq.). Euripide au contraire ne se prive pas de changer le mythe, comme dans *Hélène,* où il rejoint par là Labiche et Feydeau. « Ciel, mon mari ! Que vois-je ? C'est ma femme ! » La scène est en Egypte, où un Ménélas naufragé retrouve Hélène qui n'a jamais suivi Pâris à Troie. Mais qu'est donc le mythe qui laisse, selon Aristote, au poète « si peu à dire » ? Il dit, selon Heidegger, « l'appartenance mutuelle des hommes-et-dieux en tant qu'elle seule comporte la séparation de la distance et, par là, la possibilité de l'approche, et ainsi la grâce de l'apparition ».

« On aimerait bien savoir quelque chose sur la provenance de ce terme, μῦθος, mais il n'a malheureusement aucune étymologie sûre, ce qui déjà semble plaider en faveur de son antiquité. » Ainsi parle Walter-Friedrich Otto (*Die Gestalt und das Sein,* 1955, p. 67). A défaut d'étymologie, c'est donc l'usage de la langue qui doit nous instruire.

On trouve souvent μῦθος dans la langue d'Homère, où il dit la parole, mais deux autres termes la disent aussi, à savoir ἔπος et λόγος. Dans le *Poème* de Parménide, les trois termes d'*epos,* de *logos* et de *mythos* interviennent à égalité et sont à vrai dire pratiquement interchangeables. Des différences cependant, dès Homère, tendent à percer. Homère nomme en effet bien souvent les *pterounta epea*, les *paroles ailées*, auxquelles Platon opposera, dans *Phèdre*, la *fixation* de l'écriture. Les paroles comme *epea* sont ainsi du côté des *phônai*, des voix qui se font entendre en traversant l'espace. Par là est dit ce que la parole a de phonétique. Homère compare les *epea* à des « flocons de neige en hiver » (*Iliade*, III, 222). De son côté, le *logos* — cette fois c'est Platon qui nous parle — a une propriété bien à lui : c'est d'être essentiellement διπλοῦς, ἀληθής τε καὶ ψευδής (*Cratyle*, 408 c) : d'une double nature, aussi bien vrai que faux. Mais le mythe ? Il semble être antérieur à l'écart même de la distinction platonicienne du vrai et du faux, en tant que plus originel que celle-ci. Quand Platon évoque le « mythe » de Protagoras, à savoir que l'homme est mesure de toutes choses, c'est bien en ce sens qu'il l'entend (*Thééthète* 156 c-164 d). Le mythe est originellement révélateur de la chose dont il est le mythe.

Mais ce n'est pas tout. Non seulement le mythe est énigmatiquement l'autorité originelle de la chose même, étant pensé à partir de celle-ci, mais il l'est d'une manière tout à fait particulière. Le mythe est la révélation dont le contraire n'est pas *pseudos*, mais *léthé*. C'est ce que nous apprenons à la lecture du chant 13 de l'*Odyssée*, qui raconte l'apparition d'Ithaque aux yeux d'Ulysse. Ulysse est déjà dans son île, où c'est de lui-même que le flot marin l'a conduit pendant son sommeil. Mais il n'en sait encore rien, pas même à son réveil, car Athéna, présente à ses côtés « sous les traits d'un jeune homme, un gardien de brebis aussi bien découplé que le fils d'un seigneur », avait répandu un nuage sur tous le pays

> ... Afin que tout lui soit, à lui,
> Méconnaissable, et qu'elle ait à lui dire chaque chose une à une.

Homère dit : ὄφρα... ἕκαστα μυθήσαιτο. Le verbe *mytheisthai* provient de *mythos* : afin qu'elle ait à lui *donner le mythe* de chaque chose. Le verbe *mytheisthai* s'éclaire d'ailleurs ici par celui qui interviendra une cinquantaine de vers plus loin, c'est-à-dire au moment où le dieu disperse la nuée :

> Eh bien, je vais te montrer (*deizô*) le sol d'Ithaque.

Au lieu de *mythésaito*, Homère aurait pu dire : *deizato* ou *apophénaito*. Le mythe a donc pour fonction essentielle de *montrer* ce qui est. C'est grâce à lui que *la terre apparût* (εἴσατο δὲ χθών). On peut dire que, dans les *Mémoires d'outre-tombe*, la brève et belle page que Chateaubriand intitule lui-même « Apparition de Combourg » est comme un écho du *mythe* d'Ithaque, tel qu'il fait surgir aux yeux d'Ulysse sa terre, non pas seulement comme il l'évoquait habituellement dans le clair-obscur de la mémoire mais, pour parler comme Baudelaire, dans « l'éclatante vérité de son harmonie native ». C'est le *Temps retrouvé*! Ici, la révélation qu'est le mythe, son *alétheia,* a pour contraire non pas *pseudos,* comme la plupart du temps dans Platon, mais *léthé.* Qui est étranger au mythe est, par rapport à l'*alétheia,* dans la situation des rescapés de la peste d'Athènes dont Thucydide nous dit : τοὺς δὲ καὶ λήθη ἐλάμβανε τῶν πάντων ὁμοίως*.

Nous voyons bien ici, grâce à Homère, la puissance du mythe. Il est non seulement présentation de ce qu'il dit, mais comme au sortir d'un nuage qui jusque-là recouvrait tout. Le mythe au sens grec, c'est donc le rayon de soleil qui perce le brouillard, l'apparition première dans son allégresse et, pour tout dire, la naissance d'un monde, au sens où (Otto, *Mythos und Welt,* Stuttgart, Klett, 1962, p. 257) le second Saluste disait ταῦτα δὲ ἐγενετο μὲν οὐδέποτε, ἔστι δὲ αεί, « cela ne s'est jamais passé nulle part, mais il ne cesse d'en être partout ainsi » ; *die Mitte* : « Ô éther divin, vents à l'aile rapide, et vous (...), sourire innumérable des vagues de la mer. (...) Terre, mère des êtres de (...)** » Le décor est planté. Non pas un décor de théâtre, car d'abord a surgi le foyer secret d'où tout s'irradie. Si l'on entend par paganisme cette puissance d'accueil, alors oui, Heidegger est païen.

Mais, si le mythe est la naissance d'un monde, alors le mythe ne serait rien de spécifiquement grec. Quand en effet dans un tout autre monde que le monde grec il nous est dit qu' « au commencement Dieu créa le ciel et la terre », une telle parole serait au moins *mythique.* Car là aussi sort d'un nuage ce que le nuage recouvrait, tandis que la parole évoque les choses une à une pendant la semaine de leur création. La question est donc de savoir s'il y a quelque chose de *propre* au mythe grec, et quoi. Dans l'horizon de cette question, il y a lieu, me semble-t-il, de dégager deux traits caractéristiques.

1°) D'abord, le mythe est, chez les Grecs, essentiellement l'affaire des poètes. Prétendre partir de la poésie grecque pour en dégager une doctrine dont elle ne serait que le document, c'est tout mettre à l'envers au départ. Le mythe ici n'a rigoureusement rien de doctrinal. Quelle singularité, remarque W.F. Otto, qu'en domaine grec le divin, « *nicht von Propheten und Bekennern verkündet wird, sondern von Dichtern und Künstlern,* ne soit pas annoncé par des prophètes et des confesseurs mais par des poètes et des artistes »

---

* Jean Beaufret saute volontairement ici deux mots dans ce passage du chapitre 49 du livre II de *La guerre du Péloponnèse.* Il retient la leçon de l'édition d'Oxford pour ἐλάμβανε au lieu de ἐλάβετο que l'on trouve dans l'édition Budé (Les Belles Lettres).

** Dans le *Prométhée* d'Eschyle, c'est le moment où Prométhée prend la parole après le dialogue de Pouvoir et d'Hephaistos (cf. v. 88 sq.).

(*Die Gestalt und das Sein,* p. 127). Rien de tel dans la Bible. Non qu'elle manque de tout caractère poétique. Mais elle exige d'abord et avant tout comme Kant le voulait dans la *Critique de la raison pure,* d'être lue *à la lettre.* On retrouve ici le malaise des Grecs devant l'Ecriture qui, une fois pour toutes, fixe, dit Socrate à Phèdre, les « paroles ailées », les rendant, elles qui sont comme « des flocons de neige en hiver », semblables à quelqu'un qui boude. (*Phèdre* 275 d)

2°) D'autre part, si la présentation mythique est essentiellement présentation du divin comme de l'une des dimensions essentielles du monde, le dieu n'est jamais, dans le mythe grec, le dernier mot, c'est-à-dire l'absolu de la question, mais, au-delà du divin, le destin auquel le dieu lui-même demeure soumis. En d'autres termes, il y a une plus haute énigme que le divin. C'est en ce sens que, dans l'*Iliade,* ce n'est pas Zeus mais la balance qu'il tient en main qui décide comment *la victoire change d'hommes* et à qui va échoir l'*achèvement de la mort*[1]. C'est là un trait fondamental du mythe qui persistera jusque dans la philosophie, pour laquelle ce n'est jamais qu'au nom de l'être qu'il est possible de rendre le divin parlant. La Bible, ou, si l'on veut, le mythe biblique, c'est au contraire Dieu d'abord, à qui va, comme on le sait depuis *Daniel* (VII, 14) « le règne, la puissance et la gloire » — un Dieu, dira bien plus tard Maritain, « qui a domaine sur lui-même ». (*Trois réformateurs,* 1925, p. 69). Avec le mythe grec, au contraire, c'est-à-dire la parole grecque, fût-elle philosophique, c'est exactement l'inverse. L'énigme de l'être et de son mouvement (*S. Z.* 392) y est plus déterminante que l'enquête du théologicien.

Mais assez sur ce point, Horatio! Que suffise ici ce salut à la Grèce et, pour le dire tout net, au « miracle grec », qui nous est pour le moins un ἅπαξ. Il ne me reste plus qu'à ajouter, selon la tradition, merci!

---

1. Le mythe est la parole d'un monde où même le dieu n'est pas le dernier mot, mais, en dépassement de lui, encore autre chose ; Zeus lui-même, tel que le révèle le mythe comme régnant même sur les dieux, ce n'est pas lui, mais la balance d'or qu'il porte qui décide du destin de ceux pour qui il est le plus grand des dieux. C'est ce que nous apprend la parole dite F. 32 d'Héraclite : ἓν τὸ σὸφὸν μοῦνον. L'Un ? Mais quel Un ? Celui que les meilleurs choisissent de préférence à tout et pourquoi ils combattront comme pour leurs murailles : *die Mitte* ! *Samt der Mitte* ! Ils sont les hommes de ce foyer secret d'où s'irradie tout le reste et à quoi nul ne peut se soustraire, ancré en chacun de nous au-delà de lui-même, et dont l'œuvre d'art est partout le miroir.

HEIDEGGER ET LA THÉOLOGIE

Cette question nous invite à remonter jusqu'aux premiers débats que souleva la publication de *Sein und Zeit,* c'est-à-dire, pour ce qui concerne la France, à la séance de la Société de philosophie qui eut lieu dix ans plus tard, le 4 décembre 1937, sous la présidence de Léon Brunschvicg, séance à laquelle Heidegger, officiellement invité, comme l'atteste une lettre de lui publiée dans le *Bulletin* correspondant, n'assista pas, « à cause du travail du semestre en cours ». Le travail en question avait pour thème *Grundfragen der Philosophie,* annoncé aujourd'hui comme tome XXXXV de la *Gesamtausgabe.* Il est permis de se demander si l'absence de Heidegger, qui ne vint pour la première et unique fois à Paris qu'en 1955, à l'occasion de la décade de Cerisy, était exclusivement motivée par ce travail ou si, à l'époque, un déplacement de sa part hors d'Allemagne ne se heurtait pas à d'autres difficultés. Reste un fait historique : les invitants de Heidegger en 1937 ont allégrement toléré, huit ans plus tard, son éloignement de l'Université à la diligence des autorités françaises d'occupation. Mais, comme le disait au IVe siècle avant notre ère le Gaulois Brennus, ou Brenn, aux Romains, fondateur en cela d'une longue tradition vernaculaire : *Vae victis* [1] !

Dans cette séance, la question de la théologie ne fut d'ailleurs abordée, dirait Heidegger, que *auf dem Umweg über Kierkegaard* (*N.* II, 472), par le détour passant par Kierkegaard. C'était l'épineuse question alors à la mode de la prétendue laïcisation par Jaspers-Heidegger — comme on dit Réaumur-Sébastopol — de la pensée de Kierkegaard. Dix ans plus tard, un de mes amis déclarait encore à Heidegger, alors qu'un jour nous nous promenions tous les trois dans un bois près de Zähringen : « Ce que l'on dit à propos

1. Après la première guerre mondiale, on disait en France : « L'Allemagne paiera ! »

de vous en France, c'est que vous avez surtout sécularisé la philosophie de Kierkegaard. » J'entends encore la réponse allègre de Heidegger : « *Aber wie kann ich eine Philosophie säkularisieren, wo gar keine ist ?* (Mais comment pourrais-je séculariser une philosophie là où il n'y en a aucune ?) ». C'est ce qu'en 1937 il avait déjà écrit à Jean Wahl : « La question qui me préoccupe n'est pas celle de l'existence de l'homme, mais la question de l'être *im Ganzen und als solches...* » Cette question, qui est la seule à être posée par *Sein und Zeit,* Kierkegaard ne la traite pas plus que Nietzsche, et Jaspers passe tout à fait à côté. Quelques années plus tard, Heidegger dira plus clairement encore, dans un texte inséré dans son *Nietzsche* : « Kierkegaard, qui n'est ni théologien ni métaphysicien, bien qu'il soit l'essentiel des deux à la fois... » (*N.* II, 472). Entendons qu'il allie merveilleusement à la « passion théologique » (*ibid.,* 477) l'aveuglement du métaphysicien tardif ou amateur pour la question de la « vérité » de l'être telle qu'à partir de la métaphysique Heidegger cherchera à la développer en une « remontée jusqu'au cœur de la métaphysique ». Mais alors, qui est donc Kierkegaard ? Il le dit lui-même (comme le rappelle *Holzwege,* p. 230) dans l'Introduction à *Point de vue explicatif de mon œuvre* : « J'ai été et suis un auteur religieux », au sens où « mon activité d'écrivain tout entière se rapporte au christianisme, à la difficulté de devenir chrétien, avec des visées polémiques directes et indirectes contre cette formidable illusion qu'est la *Christlichkeit,* autrement dit la prétention que tous les habitants d'un pays soient, tels quels, des chrétiens ». Le rapport de Kierkegaard à Hegel repose tout entier dans une de ces « visées polémiques » où il se présente comme un « opposant » à Hegel, qui l'a déçu, en attendant que ce soit Schelling, ce qui ne l'empêche pas de rester entièrement sous la dépendance (*Botmässigkeit*) de l'Idéalisme allemand, dont il reçoit, comme on respire l'air du temps, la thèse que le fond des choses consiste dans la subjectivité. « Que la subjectivité, l'intériorité soit la vérité, c'est ma thèse », proclame-t-il en 1846 dans le *Post-scriptum aux Miettes philosophiques.* Telle est à vrai dire la thèse de Hegel. C'est en effet Hegel, non Kierkegaard, qui déclarait dans son cours de Berlin sur la *Philosophie de l'histoire,* maintes fois répété de 1822 à 1831 : *Dass das Ich der Boden für alles sei, was gelten soll.* De son rapport à Hegel, Kierkegaard reçoit non seulement la thèse du primat de la subjectivité, dont le christianisme est censé donner une interprétation plus radicale que Hegel, mais aussi la vision non moins hégélienne du monde grec comme « enfance heureuse de l'humanité », si bien que, philosophiquement parlant, il s'en tient comme allant de soi d'un côté au point de vue de la subjectivité et de l'autre à une interprétation non critique de la pensée grecque « qui ne le cède en rien à celle de la scolastique médiévale » (*W. D.,* 129). Tout cela n'empêche nullement que, comme Nietzsche, Kierkegaard ait fait des découvertes mémorables, qu'il qualifie un peu imprudemment (comme plus tard Nietzsche, mais c'était la mode) de « psychologiques », et dont s'émerveillera Heidegger. De là à interpréter *Sein und Zeit* comme « sécularisation de la pensée de Kierkegaard », il y a un abîme. Et pourquoi, sur la même lancée, mais en sens inverse, le livre de Karl Barth sur l'*Epître aux Romains* ne serait-il pas soumis au même type de réduction ? Que Heidegger et Barth aient lu l'un et l'autre Kierkegaard avec goût et profit, comme ils ne se sont pas privés de le dire, ne préjuge qu'aux yeux des littérateurs les questions qui furent à l'origine de leur pensée.

Si cependant nous abandonnons l'*Umweg über Kierkegaard* comme extérieur à la question, la « difficulté de devenir chrétien » n'étant nullement une introduction à la philosophie, c'est pour attacher d'autant plus d'importance à l'un des épisodes des Entretiens de Cerisy.

Nous sommes, si je me souviens bien, le jeudi 4 septembre 1955. Toute la séance de ce jour fut consacrée à des questions ou objections faites à Heidegger par son auditoire. C'est à cette occasion que Paul Ricœur formula la question ou objection de l' « héritage hébraïque » dont l'*Einleitungsvortrag : Qu'est-ce que la philosophie ?* lui avait paru ne dire mot. Là, il ne s'agit (je reconstitue d'après mes notes l'intervention de Ricœur) « ni de l'étant ni de l'être ni même du "qu'est-ce que", qui est le questionnement grec par excellence. Mais il y a un *appel,* qu'il soit celui de l'errance de Moïse ou de l'arrachement d'Abraham. Un tel appel, qui n'est pas grec, peut-on l'exclure de la philosophie ? La traduction de la Bible en grec, dite traduction des Septante, n'est-elle pas un insondable événement à la base de notre culture ? La relation à coup sûr « équivoque » du monde grec et du monde juif n'est-elle pas ce qui, à l'intérieur de la philosophie, maintient une interpellation ? Et l'être peut-il être l'être sans être le premier étant ? Ou, inversement, le premier étant n'est-il pas strictement son propre être et le foyer d'irradiation de l'être de l'étant ? » A quoi Heidegger répondit : « Vous touchez ici à ce que j'ai appelé le caractère "ontologique" de la métaphysique, dont j'ai bien souvent traité. Faut-il vraiment à ce sujet relier, comme vous le proposez, les philosophes aux prophètes ? Je suis convaincu qu'à qui regarde les choses de près le questionnement d'Aristote — qu'il soit, comme on dira bien plus tard, ontologique ou qu'il soit théologique — prend racine dans la pensée grecque et n'a aucun rapport avec la dogmatique biblique. » Comme en effet Heidegger l'avait dit à propos du *logos* et de son interprétation johannique dans son cours de 1935, *Introduction à la métaphysique : Eine Welt trennt all dieses von Heraklit* (*E. M.*, 103).

Parlant ainsi, Heidegger ne prononce aucune exclusive, mais

manifeste la plus extrême circonspection. La question est : peut-on vraiment, sur la base de la philosophie, allier à l'apport grec l'apport biblique, où l'Ancien Testament est un apport proprement juif ? A qui voit les choses de loin, l'entreprise paraît ne rien présenter d'impossible. Elle fut en effet celle du Moyen Age, puis des philosophes modernes jusque et y compris Nietzsche. Peut-être cependant n'en va-t-il plus ainsi pour qui s'avise que, l'apport grec, c'est précisément la philosophie *elle-même,* qui n'est nullement un cadre général que l'on puisse indifféremment remplir en puisant à d'autres sources, mais une problématique différenciée, à savoir la problématique de l'*être de l'étant.* N'aborder la question de l'étant qu'à partir de l'ouverture en lui de la question de l'être, tel fut le sens le plus propre de ce que les Grecs nommèrent mémorablement *philosophie* comme aussi bien de tout ce qui, depuis les Grecs, a paru dans le monde sous le nom de *philosophie* ou *métaphysique,* les deux termes étant rigoureusement synonymes. C'est pourquoi, on ne peut lire sans quelque surprise ces lignes de Paul Ricœur, écrivant à propos de Heidegger (*La métaphore vive,* p. 395) : « Le moment est venu, me semble-t-il, de s'interdire la commodité, devenue paresse de pensée, de faire tenir sous un seul mot — métaphysique — le tout de la pensée occidentale. » Heidegger, bien sûr, ne nie pas qu'il y ait en Occident autre chose que de la métaphysique, autrement dit de la philosophie. Il y a aussi des sciences et des techniques, de l'informatique et de la psychanalyse, des religions et des guerres, des gouvernements et des ministères, des services publics et des initiatives privées, des syndicats et des expositions de peinture. Que rien de tout cela ne soit sans pensée, c'est trop clair. Mais que, la pensée partout à l'œuvre, ce soit précisément comme philosophie qu'elle prétende aussi se rassembler à sa propre cime, ou encore constituer ce que Hegel nommait « *das Letzte, Tiefste, Hinterste* », c'est non moins clair. L'apport le plus radical de Heidegger est peut-être celui-ci : rendre impossible l'emploi du mot *philosophie* pour désigner un quelconque magma ou amalgame d'idées générales concernant l'origine ou la cause du monde et des choses ainsi que la fin présumée que révélerait leur histoire, au sens où Husserl parlait d'une « téléologie de la raison », mais retrouver, d'un bout à l'autre de la philosophie, la permanence secrète d'une question initiale, celle qui ne devint question qu'avec les Grecs pour le demeurer au-delà d'eux et jusqu'à nous, « si ce n'est au-delà de nous-mêmes » (Cerisy). Tout le problème est là : le philosophe est-il, en Occident, un spécialiste des généralités ? Ou la philosophie y est-elle la persistance, durant plus de deux millénaires, du questionnement initié par les Grecs ? En quoi elle devint odieuse à Luther qui, revenant à la lettre même de saint Paul, déclara, avec plus de verdeur que l'apôtre, que la philosophie était, dans le monde, la part du diable et que le mieux serait de brûler Aristote.

Peut-être Luther, parlant ainsi, allait-il plus au fond que ceux qui, se satisfaisant à moindres frais que lui, prétendent philosopher sans en perdre la foi ou croire sans se priver de philosopher. Le catholicisme excellait en effet à « atteler ensemble chevaux et griffons » (Kant) et, grâce à la technique des « coups de barre » (*Le thomisme,* p. 250) qu'admire Etienne Gilson, maintenir en état et même faire avancer un navire amphibie. Heidegger, d'accord au contraire avec Luther, bien qu'étant de l'autre bord, qui est celui de la philosophie, est inexpert aux « coups de barre ». Gilson, qui n'est pas luthérien, écrit (*Le thomisme,* p. 121) : « L'histoire de la philosophie chrétienne est, dans une large mesure, celle d'une religion qui prend progressivement conscience de notions philosophiques dont, comme religion, elle peut à la rigueur se passer, mais qu'elle reconnaît de plus en plus clairement comme définissant la philosophie de ceux de ses fidèles qui veulent en avoir une. » Donc, rien d'obligatoire, pour le fidèle, mais rien non plus dont il faille le « priver » (*Intr. ph. chr.,* p. 252), car, au fond, pour qui s'entend aux « coups de barre » (trop c'est trop), pas de risque. Cette disposition débonnaire paraît irrecevable à Heidegger. Il disait en 1929 : « La rigueur d'aucune science [et, parmi les sciences, il plaçait la théologie] n'égale le sérieux de la métaphysique. Et jamais la philosophie ne peut se mesurer à l'aune du projet scientifique (fût-il celui du théologien, à savoir, selon la parole de Luther, le projet d'une *grammatica in Spiritus Sancti verbis occupata*). » Rien ne s'accorde moins à la philosophie que de « vouloir en avoir une », comme d'aucuns veulent avoir une résidence secondaire. Ceux-là ne sont pas plus philosophes que ceux-ci. Char disait aux amateurs qui lui faisaient visite pour s'encourager à son voisinage : « Vous êtes dans la poésie jusqu'aux chevilles. Le poète y est tout entier. » Ainsi Heidegger en philosophie, où il en vient même à dire que le passage des sciences à la pensée n'est pas une « percée soudaine », mais évoque plutôt « la démarche de ceux des pays montagnards qui, contre-mont, gravissent une pente ». Sa pente, il la remonte jusqu'aux Grecs encore à découvrir, mais pour apprendre à les penser eux-mêmes « *in ihren Anfang zurück* » (*E. H.,* 36), celui-ci n'étant plus le simple début grec, mais ce qui déjà s'est voilé en lui jusqu'à instituer à partir de là la première *époque* de la philosophie.

L'histoire occidentale n'est plus dès lors celle des *res gestae* sous la prééminence d'une *voluntas divina.* Elle est *die Lichtungsgeschichte des Seins* (*I. D.,* 47), l'histoire de l'être en sa clairière, telle qu'elle se déploie *mutativement* à partir d'un centre qui n'est pas le Dieu de la révélation biblique. Pas non plus ce que « cherchent les Grecs », s'ils n'ont cherché que l'être de l'étant. Plus initial que l'être de l'étant (génitif objectif) est le renversement en *étant de l'être* (génitif subjectif. Cf. *I. D.,* 59) où cependant la *Différence* de l'être et de l'étant, l'*Unterschied,* est d'autant mieux, disait Heidegger à

Cerisy au cours de la dernière séance, « *der Herkunftsbereich für das in ihm Unterschiedene* », le domaine d'origine pour ce qui, en lui, est différencié — l'histoire de la métaphysique, comme essence de la philosophie, étant à son tour (ainsi avait-il écrit dans la *Lettre sur l'humanisme,* p. 88) « *eine ausgezeichnete und die bisher allein übersehbare Phase der Geschichte des Seins,* une phase insigne de l'histoire de l'être et la seule qui, jusqu'ici, puisse être survolée ». Ici, le mot *être* lui-même, qui est le nom grec de la chose, devient trop court pour dire ce qui, avec elle, vient en question. D'où l'apparition vers 1936 du terme d'*Ereignis* qui, mieux que *Geschehnis,* nomme ce dont il est question dans la prétendue histoire (*Geschichte*) *de l'être* (*U. z. S.,* p. 260, note). Paul Ricœur dénonce à ce propos, de la part de Heidegger, « l'inadmissible prétention de mettre fin à l'histoire de l'être, comme si l'être disparaissait dans l'*Ereignis* » (*op. cit.,* p. 397). Mais où se trouve la prétention ? Chez Heidegger qui, certes, depuis *Sein und Zeit,* ne cesse d'avancer sur son « chemin de Cézanne », comme il disait à Aix en 1958, ou chez celui qui déclare Heidegger « inadmissiblement prétentieux[2] » ?

Reconnaissons que la prétention n'est pas le fort de Heidegger, et tâchons plutôt de le suivre dans son interprétation de ce qui se passe là où, l'initiative grecque ayant cessée d'être *vorwiegend,* prépondérante (*F. D.,* p. 39), la philosophie est magistralement « *von Vorstellungen des Christentums geleitet und beherrscht,* dirigée et régie par des représentations issues du christianisme » (Cerisy, 15-16). Nous ne pouvons pas ne pas rencontrer là Maître Eckhart, dont la lecture, comme on sait, agrée souvent à Heidegger. Selon justement Maître Eckhart, est-il possible de contester que ce soit seulement à un niveau inférieur que Dieu surgit dans la figure que s'accordent à lui donner les théologies rassemblées par Etienne Gilson sous le nom de « théologies de l'Ancien Testament » (*L'être et l'essence,* p. 62) ? Nous lisons par exemple dans le sermon *Nolite timere eos qui corpus occidunt* : « Dieu n'apparaît que là où toutes les créatures le nomment. Lorsque j'étais encore dans le fond et tréfonds, dans le ruisseau et la source de la Déité, personne ne me demandait où je voulais aller ni ce que je faisais, car il n'y avait personne pour m'interroger. Ce n'est qu'une fois écoulé au-dehors que toutes les créatures dirent Dieu ! Si on me demande : "Frère Eckhart, quand êtes-vous sorti de la maison ?" — "J'y étais encore à l'instant !" Ce sont donc toutes les créatures qui parlent de Dieu.

2. Cf. Bollack et Wismann, « Heidegger et l'incontournable » in *Actes de la recherche en sciences sociales,* n° 5-6, Paris, novembre 1975, p. 161 : « affectation de la profondeur ». Cf. aussi Steiner, *Martin Heidegger,* trad. Denys de Coprona, Paris, Albin Michel, 1981, p. 157 : « fatuité ». Là encore, où est la fatuité ? Du côté de Heidegger ou de celui qui l'accuse de fatuité ?

Et pourquoi ne parlent-elles pas de la Déité ? Parce que tout ce qui est dans la Déité est Un et qu'on n'en peut rien dire. Dieu est à l'ouvrage, mais la Déité ne fait rien. Elle n'a que faire de faire. En elle, pas d'ouvrage, et elle n'a jamais regardé à quelque opération que ce soit. Dieu et la Déité sont aussi différents qu'être ou non à l'ouvrage. Mais, quand je rentre en Dieu sans m'en tenir là, alors la percée que j'accomplis est bien plus glorieuse que ma sortie antérieure. A moi seul j'exporte toutes les créatures de leur logique à elles, jusqu'à ce qu'en moi elles soient Unité. Quand j'accède au fond et tréfonds, au ruisseau et à la source de la Déité, nul ne me demande d'où je viens ni où j'ai été. Là, personne n'a eu à déplorer mon absence, car là, vraiment, même Dieu a disparu (*entwird ja sogar Gott* [3]). »

Ainsi Maître Eckhart affaiblit la représentation du Dieu créateur au profit d'une intimité plus haute et dans laquelle *entwird ja sogar Gott.* La Déité se tient *altius ente,* et, par rapport à elle, le Dieu de la Genèse ne fait que passer pour céder la place. On parle à ce sujet du « mysticisme spéculatif » de Maître Eckhart. D'autres disent *panthéisme* (Gilson, *E. ph. m.* I, p. 252). Mais alors Heidegger est un tel mystique, et les Grecs, tels qu'il les lit, sont des « panthéistes mystiques », si ἐκ πάντων ἓν καὶ ἐξ ἑνὸς πάντα — autrement dit, en plus bref : *hen panta.* A vrai dire, le prétendu mystique n'est pas plus, selon le mot de Gilson, « un philosophe platonicien déguisé en moine » (*Ph. du M.A.,* p. 702) que les scolastiques « des chrétiens déguisés en Grecs » (*E. ph. m.* II, p. 208). Peut-être serait-il plus avisé de dire que ceux-ci sont plus proches de l'orthodoxie biblique, ceux-là plus proches de la pensée grecque sans nullement qu'il y ait lieu de professer, comme c'est aujourd'hui un peu la mode, que Plotin est plus grec qu'Aristote. D'autre part, Eckhart aurait été le premier étonné qu'on pût le soupçonner de préférer comme « maîtres » aux chrétiens et aux juifs les Grecs. Reste que l'extériorité de la Création, l'*ictus condendi* tel que le célébra Augustin, s'efface au profit d'autre chose qui rapproche Maître Eckhart de l'*inniges Volk* — ainsi que, dans l'élégie « L'archipel », Hölderlin nomme les Grecs — plus qu'il ne le situe dans le droit-fil de la tradition vétéro-testamentaire. D'où le goût de Heidegger pour Eckhart, « le vieux maître de lecture et de vie », qui nous aide à comprendre en quoi « l'ampleur de toutes choses venues à elles et dont le site est autour du chemin prodigue le monde »

---

3. Eckhart termine ainsi son sermon : « Qui a entendu ce prêche, tant mieux pour lui. S'il n'y avait eu personne ici, il aurait fallu que je le prêche à ce tronc. Il ne manque pas de pauvres gens qui rentrent chez eux en disant : je vais m'installer en une bonne place pour y manger mon pain et servir Dieu. Je le dis en vérité : ces gens, force leur est de demeurer dans l'égarement ; jamais ils ne sauront acquérir ni conquérir ce à quoi les autres atteignent quand ils suivent Dieu dans la pauvreté et l'ailleurs. Amen. »

(*Feldweg*), au point que « dans leur parole qui ne dit mot (...), c'est là d'abord que Dieu est Dieu ». Maria Binschedler, dans une note judicieuse de sa traduction en allemand moderne de *Cinq sermons* de Maître Eckhart (Bâle, 1951), confirme le dire de Heidegger. A propos du Sermon *Quasi stella matutina,* elle souligne en effet que, pour Eckhart, « la sublimité au-dessus des choses terrestres n'est nullement contraire à la vraie connaissance des choses créées qui, comme l'étoile du matin et la lune, font signe vers la vérité divine » (p. 75) — ajoutons : comme *Déité.*

Au commencement, Dieu créa ou plutôt se créa le ciel et la terre et finalement son homme. Tout y est, dit Heidegger : la terre, le ciel, les hommes, le Dieu — sauf l'essentiel, qui est à penser selon lui dans ce qu'il nomme la *Quadrité* (*das Geviert*) ou plutôt l'*Uniquadrité* des quatre. Car, dans le récit de l'Ecriture, trois d'entre eux dépendent d'un *Primus* qui est leur origine et tout aussi bien leur centre. Au lieu de la primauté ou de la primatie divine, Heidegger nomme donc une Quadrité, ou plutôt une Uni-quadrité dont le centre n'est aucun des quatre : *Weder die Erde, noch der Himmel, weder der Gott noch der Mensch*[4]. Mais quel est alors le nom d'un tel centre ? Heidegger le nomme *das Heilige,* que nous pouvons provisoirement traduire par *le Sacré.* La référence essentielle est ici à l'hymne de Hölderlin *Wie wenn am Feiertage* :

> *Jetzt aber tagts! Ich harrt und sah es kommen*
> *Und was ich sah, das Heilige sei mein Wort.*
>
> (Mais voici le jour ! Dans l'attente, je le voyais venir,
> Et ce que je voyais, le Sacré, qu'il me soit parole.)

Mais comment penser le Sacré ? Cet adjectif ici substantivé revient comme épithète dans la même strophe cinq vers plus loin : « *aus dem heilige Chaos gezeugt,* engendré du Chaos sacré ». C'est donc le terme de Chaos qui nomme le centre lui-même. Ce terme décalqué du grec signifie couramment pour nous, comme même Hölderlin le dit dans *le Rhin, l'antique confusion.* C'est le « tohu-bohu » de la Bible, qui d'autre part concorde assez bien avec le « pêle-mêle » d'Anaxagore. Mais ce n'est là qu'un sens dérivé. Heidegger nous dit en effet : « *Chaos* signifie avant tout le Béant, la faille qui se creuse, l'Ouvert tel qu'il s'ouvre d'abord pour se saisir de tout. La faille refuse tout appui dans l'étant pour n'importe quoi qui prétende, en se différenciant, s'y fonder. C'est pourquoi, pour toute expérience qui ne connaît que le médiat, le Chaos paraît être l'indifférencié et ainsi la confusion pure. Le *Chaotique,* pris en ce sens, n'est cependant que le dévoiement de ce que veut dire *Chaos.* Pensé à partir de l'éclosion des choses (*physis*), le Chaos demeure

4. *Erläuterungen zu Hölderlins Dichtung,* Klostermann, Francfort, 1971, p. 163.

cette faille béante d'où s'ouvre l'Ouvert pour accorder à tout étant différencié sa présence entre des limites. C'est pourquoi Hölderlin nomme le "Chaos" et sa "sauvageté" : *sacrés*. Le Chaos est le sacré lui-même. Il n'est rien d'étant qui précède cette béance où rien ne fait jamais qu'entrer. Tout ce qui apparaît est à chaque fois devancé en elle. »

Heidegger parlait ainsi en 1939 (*Erl.*, p. 62-63). Mais il avait déjà dit deux ans plus tôt dans son cours sur Nietzsche (*N.I.*, p. 350) : « Nous entendons ici *Chaos* dans la plus étroite connexion avec une interprétation originelle de l'essence de l'*alétheia* comme le sans-fond tel qu'il s'ouvre initialement. » Parlant ainsi, Heidegger parle même contre Aristote, pour qui, avant l'Etant, « point ne régnèrent en l'infini du temps le Chaos ni la Nuit » (*Mét.* XII, 1072 a 7-8). Mais en un sens plus originel, dirait Nietzsche, *reizte auch Aristoteles das Chaos zu sehen* (Kröner, 16, § 964), même Aristote était incité à porter son regard sur le Chaos, c'est-à-dire à porter le regard en deçà de ce qui a seulement son assise dans l'étant. Telle est la partie vraiment révolutionnaire, c'est-à-dire vraiment grecque, de sa philosophie, telle qu'elle se résume dans l'adage souvent rappelé : *to on legetai pollachôs.* Car, s'il y a un sommet de l'étant dont tout le reste puisse dépendre, en particulier le Ciel et la *physis*, c'est parce que ce *Premier* est lui-même le plus haut de l'*energeia*, qui est le nom par excellence de l'être — « *der höchste Titel, der innerhalb des griechischen Denkens, für das Sein gefinden wurde,* la plus haute dénomination qui à l'intérieur de la pensée grecque ait été trouvée pour l'être », disait Heidegger à Cerisy. Or *energeia*, comme pour Platon *eidos* ou *idéa*, est une détermination « chaotique » de l'étant dans son être, à savoir sans soutien ni appui dans l'étant dont une telle pensée a pris congé pour éprouver l'être à partir de la plénitude de sa présence (*Z.S.D.*, p. 7) et comme tentative de le penser *sans* l'étant (*ibid.*, p. 35).

Il faudrait quand même apprendre à lire autrement que dans l'embarras d'une « poule qui aurait trouvé une fourchette » ce passage de la *Lettre sur l'humanisme* : « *Erst aus der Wahrheit des Seins lässt sich das Wesen des Heiligen denken. Erst aus dem Wesen des Heiligen ist das Wesen von Gottheit zu denken. Erst im Lichte des Wesens von Gottheit kann gedacht und gesagt werden, was das Wort "Gott" nennen soll* (ce n'est qu'à partir de la vérité de l'être que se laisse penser le sens du sacré. Ce n'est qu'à partir de ce qu'est le Sacré que le sens de la Déité est à penser. Ce n'est que dans la lumière propre à la Déité que peut être pensé et dit ce qu'il revient au mot "Dieu" de nommer). » Heidegger dit tout uniment : c'est seulement à partir du Chaos comme interprétation originelle d'*alétheia* que se laisse penser dans son essence le Sacré. Et il ajoute : c'est seulement à partir de là que se laisse penser le sens même de la *Déité.* Ici, le terme, repris de Maître Eckhart, nous renvoie notamment au sermon déjà mentionné : *Nolite timere...,* où Eckhart se dit, à propos des créatures prises *stricto sensu* : « Toutes les créatures parlent de Dieu. Et pourquoi ne parlent-elles pas de la Déité ? » — étant entendu que Dieu lui-même, c'est seulement à partir du sacré qu'il est vraiment Dieu. Lisons donc : c'est seulement à partir du Sacré qu'il est possible de distinguer de tout le reste la Déité de Dieu, et ainsi Dieu et l'homme. Mais, à la différence de Maître Eckhart, la Déité, selon Heidegger, renvoie elle-même à l'Uniquadrité du *Geviert* qui est l'autre nom du Sacré. La Déité, sans appartenance au Sacré, n'est même plus Déité, mais vaine prétention d'un étant, réputé Tout-Puissant, à usurper le centre de ce dont il n'indique qu'une contrée. Chanter fort le *Sanctus* ne change rien à l'affaire, même si les grandes orgues ou l'orchestre doivent leur inspiration à Jean-Sébastien Bach, à Mozart ou à Beethoven. Il se peut même que leur musique dise plutôt le rapport du divin à l'Uniquadrité que son isolement comme suprématie sur le reste de l'étant. Nous en arrivons ainsi à la troisième proposition de Heidegger : c'est seulement à partir de la Déité, pensée elle-même à partir du Sacré de l'Uniquadrité, que peut être pensé ce que l'invocation de Dieu peut bien vouloir nommer — et que dès lors nous en venons à pouvoir nous demander, du fond de notre désarroi, non plus si quelque Dieu est bien capable d'être, mais « si l'être encore une fois deviendra capable d'un Dieu ? » (*Hzw.,* p. 103.)

Le texte que je viens de rappeler figure dans la *Lettre sur l'humanisme,* écrite au cours de l'automne 1946. Mais vers la même époque, à propos de Nietzsche, Heidegger en avait établi pour ainsi dire le *négatif* dans un développement qu'il insérera plus tard dans son *Nietzsche* et qu'il date lui-même de 1944-1946 : « C'est quand l'être comme tel cesse de s'offrir à découvert que s'ouvre la possibilité de la disparition dans l'étant de tout Salutaire (*das Entschwinden alles Heilsamen*). Cette disparition du Salutaire emporte avec elle et maintient reclus l'espace même du sacré. La réclusion du sacré obscurcit la lumière de tout rapport possible à la Déité. Cet obscurcissement confirme et abrite en lui le défaut de Dieu. Un tel défaut, dans l'ombre qu'il répand, laisse tout l'étant se dresser dans l'étrange, tandis que l'étant paraît être, en tant que voué à la démesure de l'objectivation, une proie certaine et de toutes parts familière. L'étrangeté de l'étant comme tel met au jour le dépaysement de l'homme de l'histoire au milieu de l'étant dans sa totalité. Le lieu même où pouvoir habiter au milieu de l'étant comme tel paraît anéanti, aussi longtemps que l'être se refuse en tant qu'ouverture d'un séjour. » (*N.* II, p. 394.) Telle est par anticipation la réponse de Heidegger à la question de la technique, question qu'il ne posera expressément qu'en 1953.

Ainsi le divin n'est l'une des « contrées du monde » (*U.z.S.,*

p. 214) que pour n'en être pas le centre. Plus sacré encore que tout Dieu est dès lors le monde[5], que la Bible au contraire réduisait à une créature divine. C'est en effet avec le monde qu'apparaît quelque chose de tel que ce que Heidegger nommera plus tard *Ereignis* — au point que, dans *Seit und Zeit* (p. 100), il mentionne comme caractéristique du début décisif que fut la percée grecque que là déjà *das Phänomen der Welt übersprungen wurde,* autrement dit, que cette pensée a sauté par-dessus le phénomène du monde — ce qui ne veut nullement dire que Heidegger professerait, contre la théologie, un *pancosmisme.* Le monde dont il parle n'est pas, d'autre part, le domaine de la déréliction ou de l'épreuve, encore moins celui où Nietzsche incite l'homme à déployer une « énergie vitale », mais le lieu encore à situer dont il est question dans une *Topologie de l'être* que Heidegger nomme ainsi « quand depuis les pentes du haut val où lentement se déplacent les troupeaux on entend sonner tant de cloches ». Un tel questionnement est-il compatible avec la dogmatique chrétienne ? Dans son interview du *Spiegel,* Heidegger nous dit, en défi à tout humanisme : « *Nur noch ein Gott kann uns retten,* seul un Dieu peut encore nous sauver. » Mais il n'a pas ici nommé le Dieu des chrétiens — là où Nietzsche eût au contraire et sans ambages évoqué Dionysos. Pour Heidegger comme pour Hölderlin, même Dionysos et même avant lui Héraklès, et même après lui le Dieu du christianisme sont ceux que le poète nomme, dans *Brot und Wein, die entflohenen Götter,* les dieux enfuis. Mais, ajoute Hölderlin au temps de Friedensfeier : « *aber umsonst nicht,* mais en vain, non pas ». Ils sont non pas du révolu, mais ceux qui nous furent présents et par là les gardiens d'un avenir possible. Ils nous sont même d'autant moins absents que nous savons mieux ne pas les opposer les uns aux autres, de moins en moins novices dans l'apprentissage, entre eux, d'une fraternité plus secrète, celle qui répond au distique du temps de Hombourg que Hölderlin intitula *Wurzel alles Übels* (« Racine de tout mal ») :

> *Einig zu seyn ist göttlich und gut; woher ist die Sucht denn*
> *Unter den Menschen, dass nur Einer und Eines nur sei.*
>
> (Entrer dans l'Unité est divin et nous sauve ; d'où donc alors la rage
> Parmi les hommes que soit sans plus un seul et sans plus une chose.)

Nous pourrions dire : le fléau, pour Heidegger, est avant tout le prétendu *monothéisme* comme réduction numérique du divin, vocable formé tardivement à partir du grec, que Littré tient pour un néologisme inquiétant et qui n'a jamais fait partie d'aucune langue. Le monothéisme est le point de vue de ceux qui déclarent

5. Entendre le terme au sens que, comme adjectif, il avait encore au Moyen Age et dont le contraire est *immonde.*

faux ce qui inspira à d'autres qu'eux la plus haute ferveur. En ce sens, Nietzsche lui-même redevient monothéiste quand il dit : *Dionysos gegen den Gekreuzigten* — ce qui est pour Heidegger le comble de l'esprit de ressentiment, que Nietzsche prétend d'autre part abolir. Mais dire *Der Gekreuzigte gegen Dionysos* est tout aussi bien, pour ses zélateurs, prétendre « avoir raison d'une manière aussi absurde que leurs adversaires » (Nietzsche, éd. Kröner, XV, 457).

« Beau comme la rencontre fortuite sur une table de dissection d'une machine à coudre et d'un parapluie », tel serait selon Heidegger, et pour rappeler une parole de Lautréamont que les surréalistes arrachèrent à l'oubli, le concordat qu'Etienne Gilson nomme « l'identification de Dieu et de l'être », et dont il fait syncrétiquement « le bien commun de la philosophie chrétienne comme chrétienne » (*Le thomisme,* p. 120). Mais pour Heidegger, « *Gott und Sein ist nicht identisch,* Dieu et être ne constituent pas une identité » — pas plus que le grec et l'hébreu. L'être au sens grec n'ouvre aucun accès possible au Dieu de la Bible, mais à une tout autre « théologie » que celle du créateur du ciel et de la terre. Cette théologie repose dans la pensée de l'Uniquadrité, qui est aux antipodes de ce que Schelling nomma Théopanisme. C'est pourquoi les théologiens ont bien raison d'être très réservés à l'égard de Heidegger, bien qu'au temps des « années folles », comme on dit, il n'ait jamais été (comme Joyce) inscrit à l'*Index* grâce à une voix de majorité, celle du P. Lotz. Dans ce qui fut son dernier livre, celui qu'il dédia en pensée à René Char — comme on le voit en exergue de la traduction française qui ne parut qu'après sa mort —, il a même écrit, à propos de son origine, qui est, comme on sait, la théologie : « Sans provenance théologique je ne serais jamais parvenu sur le chemin de la pensée. *Herkunft aber bleibt stets Zukunft.* » Le mot essentiel est ici *aber,* qui, loin d'avoir le sens restrictif de la conjonction *mais,* a un sens adverbial que peut avoir aussi le français *mais* (*magis*). Traduisons donc : « Provenance, à qui va plus loin, demeure toujours avenir. » Heidegger est, parmi nous, *celui qui va plus loin,* et à ce titre, dirait Platon, ne cesse de « sortir de la diète courante » (*Rép.,* III, 406 b). En ce sens, ceux qui ne sont pas étrangers à la « véritable grandeur que comporte la tâche de la théologie » (*E. M.,* p. 6) ont bien raison aussi de s'en aviser. Jusqu'où cependant leur est-il secourable ? Et quel est au juste le *jusqu'où* que recèle en lui le rapport de l'être et de l'homme ?

Der Nordost wehet,
Der liebste unter den Winden
Mir, weil er feurigen Geist
Und gute Fahrt verheisset den Schiffern.
Geh aber nun...

Le nord-est se lève,
Le plus cher parmi tous les vents
A mon cœur, tandis qu'il promet la flamme de l'esprit
Et bon voyage aux navigateurs.
Va donc plus avant...*

---

* Jean Beaufret cite le début de l'hymne de Hölderlin intitulé *Andenken* (« Souvenir »).

SUR LA PHILOSOPHIE CHRÉTIENNE

La question d'une « philosophie chrétienne » a été historiquement soulevée en 1931 par Étienne Gilson, à l'occasion d'une communication faite à la Société française de philosophie sous le titre « La notion de philosophie chrétienne » (séance du 21 mars 1931). La même question est posée par Heidegger quatre ans plus tard dès le début du cours qu'il fit en 1935 à l'université de Fribourg sous le titre : « Introduction à la métaphysique ». Mais que disent indépendamment l'un de l'autre, bien qu'à la même époque, Etienne Gilson et Martin Heidegger ?

1. Parler d'une philosophie qui serait chrétienne « dans son essence formelle » est, dit Gilson la même année (*L'esprit de la philosophie médiévale,* I, p. 38), un non-sens. « Il est clair (...) que la notion de philosophie chrétienne n'a pas plus de sens que celle de physique ou de mathématique chrétienne. » Et Heidegger, plus laconiquement : « Une philosophie "chrétienne" est du fer en bois et un malentendu. » (*Introduction à la métaphysique,* p. 6).

2. A quoi cependant Gilson ajoute : il n'en va plus de même si l'on considère la philosophie « dans l'œuvre de sa constitution » (*op. cit.,* p. 39). Il se peut en effet que le christianisme lui propose des concepts susceptibles de nourrir et de stimuler son travail. N'est-ce pas, disait-il en 1931 à M. Bréhier, le cas pour le concept de création ? Heidegger de son côté dira dans son cours de 1935-1936 (*Qu'est-ce qu'une chose?,* p. 84) : « La métaphysique moderne de Descartes à Kant et, au-delà de Kant, même la métaphysique de l'idéalisme allemand, sont impensables sans les représentations fondamentales de la dogmatique chrétienne. »

Il semble donc qu'il y ait, entre les deux philosophes, accord complet. Et cependant ils sont sur ce point aux antipodes l'un de l'autre, M. Gilson tenant que rien n'est plus conforme à l'essence de la philosophie que de « philosopher dans la foi » (titre du Ier chapitre de son *Introduction à la philosophie chrétienne* de 1960), et Heidegger écrivant au contraire dans une lettre adressée en août 1942 à Max Kommerell : « Faire face avec endurance à ce qui est digne de question est aujourd'hui [pour moi] plus initial et si résolu qu'aucune théologie de type chrétien ne peut même plus, dans cette problématique, se trouver un abri, fût-il assorti de réserves. »

Comment expliquer une telle divergence entre deux penseurs qui, d'autre part, ont pourtant l'air d'être pleinement d'accord ? Pour aborder cette question, peut-être pouvons-nous évoquer une péripétie de la discussion que Gilson eut en 1931 avec ses collègues.

S'adressant à Bréhier, à propos de l'importance que pouvait bien avoir la priorité chronologique de la philosophie grecque sur la philosophie médiévale, Etienne Gilson disait alors : « Je ne sais pas du tout s'il y aurait eu une philosophie chrétienne sans la philosophie grecque, mais cela ne prouve pas qu'il n'y ait pas eu de philosophie chrétienne. » Heidegger, au contraire, dira à Cerisy en 1955 : « La philosophie est, dans son essence, grecque — grec signifiant ici que la philosophie, dans la radicalité de son origine, est de nature telle que c'est prioritairement du monde grec qu'elle s'est saisi, et seulement de celui-ci, pour se déployer — elle. »

Qu'indique ici le point du désaccord ? Ceci que, pour Gilson, la naissance de la philosophie aurait peut-être bien pu avoir lieu n'importe où — exactement au sens où M. Lévi-Strauss, dont il fut, ou peu s'en faut, le collègue au Collège de France et en tout cas à l'Académie, professe, dans une étude publiée par l'Unesco en 1952, sous le titre *Race et histoire* (p. 38-39), que, « si la révolution industrielle n'était pas apparue d'abord en Europe occidentale et septentrionale, elle se serait manifestée un jour sur un autre point du globe. » Une telle affirmation, aux yeux de Heidegger, est proprement insensée, malgré la référence au « capital néolithique initial » (*op. cit., p.* 37) qui, pour M. Lévi-Strauss, en est la garantie. Non moins insensée est pour Heidegger la thèse qu'il aurait pu y avoir une philosophie chrétienne sans la philosophie grecque, vu que la philosophie est *prioritairement grecque* (Cerisy), et qu'en ce sens il est absurde d'imaginer que puisse surgir au Moyen Age et sous l'inspiration du christianisme « une philosophie spécifiquement chrétienne, originale et neuve » (*L'esprit de la philosophie médiévale,* II, p. 208). C'est que, n'en déplaise même à Kant, la philosophie comme métaphysique n'est peut-être pas, dans son fond, une « disposition naturelle » de « la raison humaine en général » — de telle sorte que, « quelque chose de tel que la métaphysique, il y en a toujours eu, et il y en aura toujours dans le monde » (Kant, *Kritik der reinen Vernunft,* B 22), mais un phénomène dont la naissance est peut-être aussi intime au monde grec que la naissance de la tragédie, à quoi nulle par ailleurs — sauf bien sûr pour les sociologues — rien ne répond.

C'est là, dit-on aujourd'hui, de l'*ethnocentrisme.* Certes. La philosophie est la part de ceux que les Juifs nommaient en effet οἱ Ἐθνικοί (*Math.*, V, 47), parmi lesquels saint Paul, qui dit plutôt τὰ ἔθνη, donnera aux Grecs une place privilégiée. Les Grecs de leur côté nommaient *Barbares* les autres — y compris les Juifs. Aujourd'hui, c'est le Barbare qui est à la mode pour des raisons, paraît-il, de démocratie. L'ethnocentrisme est au contraire tenu pour « élitiste », réactionnaire, et même un peu fasciste, et on ne sait que trop que les Grecs n'ont rien inventé, n'ayant été que les commis-voyageurs de découvertes faites par d'autres et avant eux. Ainsi le veut la vogue d'un cosmopolitisme sans frontières, contre quoi s'inscrit résolument Heidegger. Qui a raison et qui a tort ? Il ne me revient nullement d'en décider. Je me borne à exposer à grands traits le contenu d'un dossier non encore ouvert, si ce n'est par la polémique, telle qu'elle a, d'avance et indépendamment de tout examen, résolu toute question.

Mais si, par hasard, il y avait lieu d'attacher quelque importance à l'œuvre publiée de Heidegger, peut-être faudrait-il enfin se demander si l'entrée et le maintien du christianisme dans le débat philosophique, d'abord avec la Patristique, puis avec la Scolastique, et enfin avec la philosophie moderne, a bien provoqué, comme le pense Gilson, une relance de la philosophie, ou si comme le pense Heidegger, elle n'en aurait pas plutôt détourné le cours, au sens où Braque disait : « On peut détourner une rivière de son cours, non la faire remonter à sa source. » Il en résulterait que le christianisme aurait, durant un peu moins de deux millénaires, certes téléguidé la philosophie, mais non pas de telle sorte que l'on puisse dire avec Aristote, par rapport à ce qu'elle a de spécifiquement philosophique (*De anima,* II, 417 b 6-7) : εἰς αυτὸ γὰρ ἡ ἐπίδοσις καὶ εἰς ἐντελεχέιαν : « c'est en vérité en ce sens qu'a eu lieu le progrès, autrement dit vers plus d'accomplissement ».

Attachons-nous, avec Gilson, au concept de *création* dont l'origine biblique, malgré les réticences de M. Bréhier en 1931 (*Bulletin,* p. 57 *sq.*) ne peut guère être sérieusement contestée. Il apporte, selon Gilson, une contribution décisive à la question philosophique *de rerum originatione radicali* qui, pour les Grecs, dit-il, n'aurait pas « trouvé à se poser », tant pour eux la notion de cause efficiente était encore « oblitérée » (*L'être et l'essence,* p. 61). Heidegger, sur ce point, pense tout autrement. Rien n'est plus grec, dit-il, que le problème d'une origine radicale des choses. Mais non au sens de la création qui ne fait que remonter causalement de l'étant à l'étant sous la présupposition de l'étant (*Introduction à la métaphysique,* p. 21), sans que nulle part ne soit posée comme originelle l'autre question qui, pour les Grecs, était plus radicale que la question de l'étant, à savoir celle de l'*être de l'étant.* Une telle question est même pour le christianisme dont le Dieu, dit Jacques Maritain, « a domaine même sur l'être » (*Trois réformateurs,* p. 69), si « superflue » (*Nietzsche,* II, p. 132) qu'un *Christianus philosophus* comme Descartes — ainsi du moins se désigne-t-il lui-même dans la *Lettre au Doyen et Docteurs, etc.,* qui précède les *Méditations* — la tient pour telle. Ce dont Descartes se préoccupe au premier chef, c'est en effet la question de l'*étant,* chômant délibérément la question grecque de l'*être* qui, loin de constituer à ses yeux une question d'origine, n'appelle qu'à la recherche d'une « notion commune », comme il l'écrit en 1646 à Clerselier en un texte souvent cité : « C'est autre chose de chercher une *notion commune* qui soit si claire et si générale qu'elle puisse servir de principe pour prouver l'existence de tous les Estres, les *Entia,* qu'on connaîtra par après ; et autre chose de chercher *un Estre,* l'existence duquel nous soit plus connue que celle d'aucuns autres, en sorte qu'il nous puisse servir de *principe* pour les connaître. » (*A. T.,* IV, 444). Dans la conférence de Cerisy, c'est à cette phrase de Descartes que Heidegger fait écho en disant : « Descartes, dans ses *Méditations,* ne se borne pas à poser, il ne pose même pas en premier lieu la question de l'étant dans son être. Descartes se demande : quel est donc l'étant qui au sens de l'*ens certum,* est le véritable étant ? ». Un tel questionnement, tel qu'il aboutit à établir une base sûre pour la recherche d'une origine non plus seulement contingente mais bel et bien nécessaire de l'étant, est, aux yeux de Descartes, plus radical que le questionnement grec, et même Husserl le trouvera tel. Mais non plus Heidegger. Pour lui, c'est le retournement grec de la question de l'étant en celle de l'*être de l'étant* qui est plus radical que le questionnement cartésien, au point que je l'ai vu s'émerveiller que Husserl, dans la *Krisis,* déplore que, comparé à Descartes, Kant lui-même manque de *Radikalismus* (*Krisis,* p. 102, 423, 428, 437). Encore une fois, sans dire qui a raison ni qui a tort, je me borne à ouvrir le dossier que l'on maintient ordinairement clos.

Ainsi, selon Heidegger, la philosophie, du fait de la réception en elle du concept judéo-chrétien de création, attesterait plutôt la déperdition d'une radicalité initiale qu'elle n'en accroîtrait le degré. Il en irait ainsi pour d'autres questions qui, loin de marquer un approfondissement, témoigneraient aussi d'un éloignement de la source, durant que la philosophie « à l'époque de son déploiement européen se trouve conduite et régie par des représentations inspirées par le christianisme » (conférence de Cerisy). De la Scolastique médiévale à Hegel et à Nietzsche, assisterions-nous donc à un radieux *couchant,* dont les moments seraient, de Descartes à Nietzsche : Leibniz, Kant, Hegel et Schelling ? *Durus hic sermo...* Pour tenter de l'entendre, il faut s'affranchir avant tout de toute interprétation péjorative de ce que Heidegger nomme *Couchant, ponant* ou *déclin* — ce qui déjà ne va pas de soi, car rien n'est au contraire plus aisé que de confondre le *déclin* au sens de Heidegger avec ce que Nietzsche nomme *décadence.* Autrement dit, Hegel n'est pas un décadent. Il est *Kein geringerer als Hegel.* En quoi il peut pourtant fort bien être, malgré sa stature, l'homme d'une philosophie qui pourrait bien, à son tour, être proche de son finale, si ce finale est la philosophie de Nietzsche, non comme la fin de tout, mais comme l'ultime figure d'un premier début— n'en déplaise, bien sûr, aux nietzscholâtres qui y voient un départ sans aucun précédent.

Le terme de déclin, si on l'entend abstraction faite de toute acception péjorative, signifie essentiellement que la question qui, pour la philosophie à sa naissance et en son matin, fut aussi bien radicale que centrale, à savoir la question de l'être, n'apparaît plus par la suite que dans l'ombre portée d'une tout autre question qui vient de plus en plus au premier plan : *qu'y a-t-il de premier dans l'étant?* — comme si l'étant, sur la base du retournement grec, s'était partout réinstallé devant l'être comme un mur invisible qui nous en séparerait de plus en plus décisivement. « Comment doit-on traverser ce mur? — car il ne sert de rien d'y frapper fort; on doit miner ce mur et le traverser à la lime, lentement et avec patience à mon sens. » Ce que Van Gogh dit ici de l'art du dessin est entièrement vrai de la métaphysique. Or le christianisme intervient dans le débat philosophique à une époque relativement tardive où le mur de l'étant, traversé au départ avec tant de désinvolture par les *Matinaux,* dirait Char, de la pensée, obstrue assez décisivement l'accès à l'être pour que toute question métaphysique se réduise essentiellement à la recherche de ce qu'il peut bien y avoir de premier dans l'étant. Ainsi se développe à travers la Patristique, puis chez les Arabes, et enfin dans l'Occident européen, ce que Gilson nomme très bien des « théologies de l'Ancien Testament » (*L'être et l'essence,* p. 62) telles qu'elles flottent entre un « nécessitarisme » prétendument aristotélicien, qui ne garde de l'Ancien Testament que le monothéisme — ce sera le cas avec Avicenne — et des interprétations de la Création qui la frappent au contraire de contingence, même en admettant que le monde puisse être éternel — ce qui, pour saint Thomas, n'était nullement absurde.

L'erreur serait donc d'imaginer ici que c'est, selon Heidegger, le christianisme qui pourrait être responsable de ce qu'il nomme l'*oubli de l'être,* car un tel oubli, s'il est caractéristique du *déclin,* autrement dit du *ponant* ou de l'*Occident,* est bien antérieur au christianisme, qui n'a fait qu'en tirer parti jusqu'à s'entendre à « philosopher dans la foi ». Peut-être serait-ce ici le lieu d'indiquer que les propos toujours nuancés de Heidegger quand il évoque les rapports de la philosophie et du christianisme se rattachent plus généralement à trois conditions que l'on peut énoncer, sans entrer dans les détails, comme les trois thèses suivantes :

1. Même la philosophie grecque, c'est dans la dimension du

déclin, de l'oubli de l'être, autrement dit de son « époque » (*Holzwege*, p. 311) qu'elle a effectué son bref parcours, celui-ci correspondant d'autre part à plus de la moitié du chemin qu'est l'histoire plus que bimillénaire de la philosophie.

2. D'un bout à l'autre de ce chemin, rien n'a jamais été totalement perdu de ce qui brilla au départ, même là où l'exaltation judéo-chrétienne de l'étant en seigneurie divine a pris le pas sur la question de l'être. Ainsi, au virage du XIIIe au XIVe siècle, nul autre que Duns Scot n'a plus résolument déterminé la recherche d'un *primum* ou plutôt d'un *Primus,* comme but final de la philosophie. Mais nul autre que Duns Scot n'a plus résolument pensé que, jusqu'au *Primus,* un chemin devait être frayé à partir de l'*esse,* et même de l'*esse tantum.*

3. Au cours de la philosophie moderne, ce qui avait été relativement perdu tend cependant à revenir, comme si un appel de la source oubliée se faisait à nouveau entendre à travers la muraille de l'oubli, sans cependant qu'un tel appel, du moins jusqu'à Heidegger, soit perçu comme étant cet appel. Le phénomène fondamental est ici, encore à peine pensé, l'ébranlement kantien, dont Heidegger disait en 1929 que, ce qui s'abrite en lui sous le nom de « révolution copernicienne », c'est qu'il « déplace le problème de l'ontologie jusqu'à le faire venir au centre » (*Kant et le problème de la métaphysique,* § 3).

Telle est, selon Heidegger, *die Lichtungsgeschichte des Seins* (*Identität und Differenz,* p. 47) la destination de l'être en sa clairière, en quoi *Sein und Zeit,* qui ne la pense pas encore comme énigme, a cependant rendu pour la première fois visible ce que le livre de 1927 ne nomme pas encore *Seinsvergessenheit,* oubli de l'être. C'est à la faveur de l'oubli de l'être que les représentations fondamentales de la dogmatique chrétienne ont pu, depuis la Patristique jusqu'à notre temps, exercer une action directrice dans l'histoire de la philosophie. Mais le caractère onto-théologique de la métaphysique qui, depuis Aristote, donne à la philosophie son style, relève de l'oubli de l'être, non de la réception de cette dogmatique. Une telle réception n'est cependant pas un simple hasard historique. Si, au-delà du Moyen Age et de sa Scolastique, on peut, avec Gilson, « montrer quelle véritable hantise le Dieu créateur de la Bible a exercé sur l'imagination des métaphysiciens classiques » (*L'esprit de la philosophie médiévale,* I, p. 17), alors que la philosophie grecque, à l'étonnement des grands scolastiques, l'ignore si résolument, c'est parce que quelque chose avait secrètement changé dans le rapport de l'homme et de l'être. L'être qui, pour les Grecs, était essentiellement éprouvé comme *présence,* le prototype de la présence étant pour Aristote sa manifestation dans le repos de l'œuvre (ἐνέργεια), c'est désormais, avais-je cru pouvoir écrire en 1972, dans le vent de puissance et d'action qui souffle de

Rome qu'il demande à être pensé et porté au langage. Du nouveau se produit alors dans l'histoire du monde, et ceci au point « où advient en son temps la rencontre des langues porteuses d'histoire » (*Holzwege*, p. 342). Dès lors, la philosophie médiévale, au plus secret de sa référence biblique, est la véritable philosophie romaine, que n'est pas le peu qu'ont bien pu apporter les philosophes romains, qui, dit Kant « ne furent que des écoliers ». Les prétendus « Scolastiques », dans le même rapport à l'initiative grecque, ont pensé beaucoup plus avant que des écoliers. C'est pourquoi Heidegger pouvait dire en 1956 (*Der Satz vom Grund*, p. 136) : « Ce qui, au sens d'Aristote, détermine l'étant dans son être et comment quelque chose de tel advient, est éprouvé tout autrement que dans la doctrine médiévale de l'*ens qua ens*. Il n'en serait pas moins extravagant de penser que les théologiens médiévaux auraient mal entendu Aristote ; ils l'ont bien plutôt autrement entendu, répondant par là à une autre guise selon laquelle l'être se destinait à eux. » Entre les Grecs et les Médiévaux, ce serait donc, selon Heidegger, l'être même qui aurait changé ? Assurément. Et c'est ce que mesure dans toute son ampleur ce que Heidegger nomme la *romanisation du grec* qui est à ses yeux, avec la *mutation cartésienne de la vérité en certitude*, l'un des *invisibilia* les plus décisifs de l'histoire occidentale.

Ce changement *de* l'être (génitif subjectif) répond déjà à l'expérience de saint Augustin quand, au temps des *Confessions* (livre X), il entend les choses mêmes *exclamare voce magna : Ipse fecit nos* — là où Aristote au contraire, évoquant la démiurgie du *Timée* (*Mét.*, A, IX, 991 a 22-23), déclarait posément : « Où a-t-on jamais rien vu de tel ? ». Mais que signifie donc cette vection irrésistible de la pensée de l'homme vers un Dieu dont la Seigneurie sur le monde va même jusqu'à la création *ex nihilo* de celui-ci, au point que *creatum* dit dans son fond l'étant qui n'est pas Dieu ? Le créateur du Ciel et de la Terre n'a-t-il pas dit d'autre part à sa créature humaine, lui désignant la terre : *Subjicite eam* ? Le zélateur du θεὸς παντοκράτωρ s'apprêterait-il de loin à devenir celui que Cournot désignera bien plus tard comme le « concessionnaire d'une planète » ? (*Considérations*, II, p. 203). Serait-ce là le sens plus secret du « Jéhovisme » dont Cournot dit ailleurs qu'il est seul compatible avec le projet mathématique de la nature tel qu'il ne voit le jour qu'au XVIIe siècle ? On peut conjecturer que de telles pensées ne sont pas étrangères à Heidegger, même indépendamment de toute fréquentation de Cournot, quand il pose, à l'automne de 1953, *la question de la technique*, dans laquelle il voit sans le dire (mais il me l'avait dit dans un entretien de Pâques, 1951) la doctrine de la création comme *Zwischenstufe*, étape intermédiaire entre le monde tel qu'il s'offre à la pensée grecque et le *Weltbild* comme caractéristique d'un temps où l'homme est saisi par le projet de devenir

« comme maître et possesseur de la nature ». Sur ce point, la philosophie chrétienne n'avait su discerner que la moitié des choses. Elle avait bien vu avec Maritain, dès le début de l'entre-deux-guerres, l'homme des Temps modernes « pâmé sous les roues terribles de la machine terraquée détraquée » (*Trois réformateurs,* p. 91). Mais non pas que ce à quoi Maritain en appelle contre un tel état de choses en est à vrai dire le prolégomène, l'avant-propos, ou, pour reprendre une locution de Hegel en en changeant un peu la forme, la « préindication historiale ». Dès lors, le chemin n'est pas, selon Heidegger, d'en appeler d'une Seigneurie à une autre, c'est-à-dire de celle de l'homme comme maître et possesseur de la nature à « la Seigneurie que le Christ exerce sur la totalité du cosmos » (Jean Daniélou, *Figaro littéraire* du 22 avril 1961), mais de revenir de *toute* Seigneurie à un *non-pouvoir* peut-être plus essentiel, et que Heidegger nomme la pensée de l'être.

Un tel recours ne revient pourtant ni à un dénigrement de la Scolastique que Gilson nous a si magistralement révélée, ni à l'omission pure et simple du christianisme.

1. La Scolastique, à laquelle Husserl croyait encore devoir se rapporter *total ablehnend* (*Krisis,* p. 392) n'est cependant pas, sous des oripeaux largement empruntés à la philosophie grecque, un simple présentoir de l'Apocalypse chrétienne, mais une pensée qui fut même en son temps pensée de pointe. La différence entre Heidegger et Gilson est seulement que, si celui-ci la voit culminer avec saint Thomas, dont l' « existentialisme » (*Thomisme,* p. 134) lui paraît un dépassement de l'augustinisme (*ibid.,* p. 132), Heidegger au contraire place plus haut saint Augustin en tant que *spekulativer Kopf* — ainsi me le nommait-il en 1959. D'où l'hommage à saint Augustin que fut, il y a aujourd'hui cinquante ans, toute une partie du finale de la conférence *Qu'est-ce que la métaphysique?* Dans la question de l'Etre comme avoisinant le Rien, la pensée d'Augustin, pour qui la création *ex nihilo* est, à la lettre, *de nihilo* (sans qu'apparaisse encore, inspiré d'Aristote, l'affaiblissement thomiste d'*ex* en *post*), apparaît comme une étape intermédiaire (*Zwischenstufe*) entre la pensée antique, pour laquelle du Rien ne peut rien provenir et ce que la *Lettre sur l'humanisme* nommera *das künftige Denken,* la pensée à venir, à savoir celle qui a commencé avec *Sein und Zeit* (1927[1]) et pour laquelle *ex nihilo omne ens qua ens fit.* Sans doute est-ce là une des motivations d'une phrase polyvalente que l'on peut trouver dans l'entretien avec le Japonais d'*Acheminement vers la parole* (1959. Traduit par François Fédier, Gallimard, 1976, p. 95). A son interlocuteur japonais qui lui disait :

1. C'est pourquoi tous les verbes du dernier paragraphe de la *Lettre* que j'ai reçue à Paris au début de 1947 sont au *présent* et non, comme ils ont été traduits à contresens, au *futur* (*Questions III,* Gallimard, 153 *sq.*)

« Par votre provenance, à savoir le cycle de vos études théologiques, vous êtes tout autrement chez vous en théologie que ceux qui, de l'extérieur, se documentent un tant soit peu sur ce qui relève de cette discipline », Heidegger répond : « *Sans cette provenance théologique, je ne serais jamais arrivé sur le chemin de la pensée. Provenance, à qui va plus loin* (aber), *demeure toujours avenir.* »

2. Mais, d'autre part, le christianisme, Heidegger ne le met nullement « sous le boisseau ». Il me dit même à Todtnauberg un jour de l'été 1960 : « La parole de l'Evangile — et il entendait par là essentiellement la *Synopse,* bien qu'il nous soit arrivé d'écouter ensemble la *Johannespassion,* qu'il suivait ce jour à travers le grec — est bien plus proche de la parole grecque que celle des philosophes qui, au Moyen Age, en ont tenté l'interprétation grâce à un "matériel de concepts" dérivés et déviés du grec. » Telle fut la piété de Hölderlin. Le plus ardent espoir de sa mère, écrit l'un de ses plus récents biographes (Ulrich Häussermann), était qu'il devint « annonciateur de la parole divine ». Et il ajoute : « En quoi ses vœux furent comblés au-delà même de toute mesure, elle ne l'a jamais compris, tant ce fut autrement qu'elle ne le pouvait concevoir. » Tel est aussi Heidegger qui, dans le christianisme, ne se sentit jamais étranger qu'à la restriction de l'*isme* comme le surent quelques-uns, peut-être Rudolf Bultmann qui fut son collègue à Marburg et dont l'amitié toujours lui resta fidèle.

C'est en ce sens peut-être que nous pouvons comprendre ce qu'en réponse à la question : « Est-il permis de poser comme identiques *être* et *Dieu* ? », il dit le 6 novembre 1951 aux germanistes de l'université de Zurich qui l'avaient invité — et c'est par quoi nous terminerons :

« Quelques-uns d'entre vous savent peut-être que ce d'où je viens, c'est la théologie, que je garde toujours pour elle un vieil amour et que je ne suis pas sans y entendre quelque chose. S'il m'arrivait encore d'avoir à mettre par écrit une Théologie, à quoi je me sens maintes fois attiré, alors le terme d'*être* ne saurait en aucun cas y intervenir. La foi n'a pas besoin de la pensée de l'être. Quand elle y a recours elle n'est plus la foi. Voilà ce que Luther a compris. Même à l'intérieur de sa propre Eglise on paraît l'oublier. Je suis on ne peut plus réservé devant toute tentative d'employer l'être à déterminer théologiquement en quoi Dieu est Dieu. De l'être il n'y a ici rien à attendre. Je crois que l'être ne peut au grand jamais être pensé à la racine et comme essence de Dieu, mais que pourtant l'expérience de Dieu et de sa manifesteté, en tant que celle-ci peut bien rencontrer l'homme, c'est dans la dimension de l'être qu'elle fulgure (*sich ereignet*), ce qui signifie à aucun prix que l'être puisse avoir le sens d'un prédicat possible pour Dieu. Il faudrait sur ce point établir des distinctions et des délimitations toutes nouvelles. »

[illegible]

[illegible] Le paradoxe [illegible] bien qu'il nous soit [illegible]

[illegible]

[illegible]

[illegible]

LA QUESTION DES HUMANITÉS

La question proposée est : Heidegger et la question de la technique. Mais d'autre part, ayant passé ma vie à enseigner, je puis dire à la suite de Hegel, comme il le dit, dans une lettre du temps de Nuremberg : « Je suis un pédagogue. » C'est pourquoi je serais tenté d'aborder la question *pédagogiquement,* comme le fera Nietzsche s'interrogeant en 1872 « sur l'avenir de nos établissements d'enseignement ». que s'y passe-t-il et pourquoi ? Et à quoi rime de fréquenter de tels établissements ? Il est, au premier abord, facile de répondre. On y vient, étant jeune, pour apprendre à devenir homme. Et là, je vous propose de partir d'une note jetée en 1892 par Léon Brunschvicg, qui fut à Paris mon meilleur professeur, sur son agenda : « On reproche aux Anciens d'avoir donné un pluriel au mot *Dieu.* Mais les universitaires en ont donné un au mot *humanité.* »

Faire ses humanités signifiait, au XVIIe siècle, suivre l'enseignement qui, dans les collèges, dépassait la grammaire et conduisait à la philosophie. Aujourd'hui, ou plutôt hier, on faisait ses humanités dans les classes de *Lettres* qui, dans les établissements d'enseignement secondaire, allaient de la troisième à la première. La philosophie, abordée dans une classe spéciale et séparée des autres par la première partie du baccalauréat, était le « couronnement » des humanités. Mais on pouvait aussi entrer dans la classe de philosophie en sortant des classes « modernes », c'est-à-dire sans avoir fait « ses humanités ».

Ici, le langage usuel nous alerte. Il dit sans ambages que celui qui entre en philosophie, s'il n'est pas passé par les classes de lettres, n'a pas fait ses « humanités ». Il n'est donc pas tout à fait un homme. Que lui manque-t-il au juste ? La connaissance du latin et aussi celle du grec. Le latin et le grec auraient donc une valeur irremplaçable dans la formation de l'homme ? Oui, répondent les partisans des humanités classiques. Quelque insolite que paraisse aujourd'hui cette affirmation, je crois qu'elle contient une vérité qu'il faut d'abord examiner.

On peut à mon sens laisser de côté certains arguments souvent invoqués. La version latine, dit-on, est pour l'entendement logique une gymnastique de choix. C'est vrai, mais il y a d'autres gymnastiques. L'essentiel est ailleurs et, là, je demanderai à Alain de nous mettre sur la voie. Alain écrit dans un « Propos » dont le titre est précisément « Humanités » : « Il n'y a point d'humanités modernes, par la même raison qui fait que coopération n'est pas société. Il faut que le passé éclaire le présent, sans quoi nos contemporains sont à nos yeux des animaux énigmatiques. (...) L'homme qui invente le téléphone sans fil n'est qu'un animal ingénieux; ce qu'il peut montrer d'esprit vient d'autre source. » Coupé de son propre passé, même s'il dispose de tous les artifices de la technique, l'homme n'est qu'un insecte technicien, ou, lisons-nous dans un autre Propos, un « Martien à figure humaine ». Et dans un de ces raccourcis dont Alain a parfois le secret : « Polynésien téléphonant; cela ne fait pas un homme. » Dans l'immensité du passé de l'homme, le monde grec et le monde latin ne sont pourtant que des régions particulières. Pourquoi donc les privilégier au point d'en faire la base essentielle d'une culture humaniste? Alain lui-même paraît d'ailleurs nous mettre ici en garde contre une délimitation artificielle, car voici encore ce qu'il écrit : « Il faut s'approcher. Il faut connaître un peu plus intimement le peuple du Droit, qui est le Romain, et le peuple sophiste, qui est le Grec; sans négliger le peuple adorant, qui est le juif. (...) L'Egypte et l'Assyrie, incompréhensibles, forment le fond lointain. L'Orient rêve encore derrière et le Polynésien danse. » Ce serait donc seulement par une ouverture plénière à l'histoire universelle, si ce n'est à la préhistoire, et non par la restriction du champ aux Grecs et aux Romains, que des humanités véritables seraient possibles! Et si Alain lui-même recule devant ce qu'il vient de suggérer, car c'est essentiellement aux Latins et aux Grecs qu'à la fin de son Propos il nous rappelle, est-ce seulement par le fait d'une modestie qui se résigne un peu mélancoliquement à ses propres limites?

Je crois qu'en réalité les textes que nous venons de lire révèlent une sorte de discorde au plus intime d'Alain lui-même entre le goût qu'il avait pour Hegel et son sens beaucoup plus... nietzschéen de la culture occidentale. Hegel, c'est le panorama de l'histoire universelle, ou, si l'on veut, une histoire *en extension,* où les penseurs de la Chine, de l'Inde et de la Perse rendent possible, en le préparant, le passage ultérieur de l'Esprit du Monde par Athènes et par Rome. Dans cette perspective, les Grecs et les Romains ne sont que des médiateurs, eux-mêmes médiatisés, c'est-à-dire recevant de leurs devanciers et transmettant à leurs successeurs le « sceptre de la civilisation ». Nietzsche, au contraire, par opposition à cette histoire en extension, fonde la « culture », comme il dit, sur une interprétation *compréhensive* et non extensive de l'histoire. Dans une telle interprétation, la notion fondamentale devient celle d'*héritage*. Nous n'avons de passé véritable que celui par rapport auquel nous sommes directement en situation d'héritiers. C'est le seul passé que nous puissions vraiment comprendre et qui nous permette de nous comprendre nous-mêmes. Méfions-nous de l'histoire entendue, à la manière des hégéliens, comme « processus universel ». Pourquoi l'histoire de l'homme n'y serait-elle pas une simple continuation de l'histoire des animaux et des plantes ? « Héritiers des Grecs et des Romains ? Héritiers du christianisme ? Tout cela ne semble pas exister pour ces cyniques ; mais : héritiers du processus universel[1] ! »

Alain n'aimait pas Nietzsche — « le fumeux Nietzsche », disait-il. Peut-être ne le connaissait-il guère ? Il n'en était pas moins, fût-ce à son insu, d'accord avec Nietzsche pour restreindre l'histoire comme éclairante au domaine de compréhension à laquelle nous sommes rattachés selon la modalité directe de l'héritage. Il y a évidemment d'autres domaines. Mais je crois que c'est chimère de prétendre y trouver accès par les moyens apparemment scientifiques de la psychologie comparée, de la sociologie ou de l'ethnographie. Par le jeu laborieux des traductions, il n'est évidemment pas impossible d'arriver à des tables de concordances assez extérieures. Mais l'intime de la chose — son *ipsissimum,* disait Nietzsche —, nous le manquons fatalement. Aussi longtemps que, par familiarité avec les Latins et les Grecs, nous ne nous serons pas dépaysés jusqu'à nous-mêmes, comment pourrions-nous nous dépayser vraiment jusqu'à ces autres qui habitent cependant la même planète que nous ? Méfions-nous des « voyages en Chine », même érudits. Il se pourrait qu'ils ne nous conduisent pas plus loin chez les Chinois que ne va chez les paysans Mme de Sévigné, jouant à se dépayser parmi les faneurs. « Les esprits frivoles ont parfois des airs sérieux qui me confondent », notait, toujours dans son agenda, Léon Brunschvicg.

L'institution des humanités classiques eut pour ambition de nous attribuer notre propre héritage, et c'est en cela qu'elles nous humanisent d'une manière séculairement irremplaçable. Dans un beau livre paru il y a des années sous le titre *Latin et culture,* M. Jacques Perret, qui enseigna le latin à la Sorbonne, dit très bien l'essentiel. Pourquoi le latin ? demande-t-il. Et là, repoussant les idées accessoires que linguistes et pédagoques s'accordent généralement à mettre en avant, il répond : « Pour nous, étudier le monde latin, ce n'est pas nous détourner de nous, c'est prendre possession de notre monde d'une manière qui le rend plus intelligible et plus dense. Le latin, c'est le tronc de l'arbre, ce qui rend l'arbre intelli-

1. *Considérations inactuelles,* II, § 9.

gible. On ne peut dire proprement qu'il élargit nos premières visions de l'univers, il les approfondit; il est vue en profondeur du monde français, mais aussi de tous les autres mondes spirituels de l'Occident. »

On comprend donc aisément que les humanités classiques aient pu, pendant des siècles, être la base essentielle des études. Notre pays n'a pas à se plaindre des serviteurs qu'elles lui ont donnés. Toutefois, cette base essentielle n'a pas pu historiquement demeurer unique. Avec le temps, la vie s'est transformée, et, se transformant, s'est de plus en plus désaccordée d'avec le monde qui lui avait d'abord donné visage. Le désaccord s'est même brusquement accentué depuis le début du siècle. Au fond, le monde d'il y a trois cents ans ne différait pas assez du monde antique pour qu'un écolier ne trouvât pas, dans la lecture des textes grecs ou latins, les éléments d'une éducation presque complète. Il y apprenait une partie essentielle de l'histoire, l'organisation de la famille et de l'Etat et tout aussi bien les métiers de la ville et les travaux des champs. Aujourd'hui au contraire, le bouleversement introduit dans la vie des hommes par les transformations de la technique rend beaucoup plus lointains les rythmes du monde antique. L'écolier d'aujourd'hui ne peut plus appprendre l'actualité de son monde dans Virgile et Tacite, encore moins dans Homère ou Sophocle. Il lui faut une autre formation, sans laquelle il risque d'en perdre le sens. Marx le disait déjà : « La conception de la nature et des liens sociaux, qui est au fond de l'imagination grecque et, par suite, de l'art grec, est-elle possible avec les machines automatiques, les chemins de fer, les locomotives et le télégraphe électrique? Qu'est-ce que Vulcain auprès de Roberts et Co., Jupiter auprès du paratonnerre, et Hermès en face du Crédit mobilier? (...) Que devient *Fama* auprès de Printing House Square? (...) Achille est-il possible avec la poudre et le plomb? Ou, en général, *L'Iliade* est-elle possible avec la presse et la machine à imprimer? Le chant et la légende et la Muse ne disparaissent-ils pas nécessairement avec la typographie [2]? » Ainsi les transformations du monde paraissent exiger une éducation qui ne peut pas être directement tirée des livres anciens. Mais, surtout, ce qui brille à travers ces transformations, à savoir la pensée scientifique elle-même, ne peut pas non plus, sans déséquilibre pour nous, demeurer étrangère à la formation de l'homme. C'est ainsi qu'une tension va se manifester de plus en plus entre une pensée « nourrie aux lettres dès son enfance » et le sérieux de la condition humaine.

Le problème ne se posait pas encore pour les Anciens, qui, disait Pascal, « véritablement nouveaux en toutes choses », avaient précisément incorporé l'étude des sciences à la formation de la liberté.

2. *Zur kritik der politischen Ökonomie,* Dietz Verlag, 1963, p. 258-259.

« Vous avez appris la géométrie quand vous étiez encore jeune, comme tous les Grecs bien élevés. » Ces paroles de Pallas à Théodore, dans l'apologue qui termine la *Théodicée* de Leibniz, font écho à l'éloge de Pythagore par Proclus dans son *Commentaire sur Euclide* : « Pythagore transforma l'étude de la géométrie en lui donnant la forme qui convient à l'éducation d'un homme libre. » Par opposition aux mathématiques égyptiennes, mal dégagées de l'arpentage et de la construction, donc s'affairant à ras de terre, la géométrie grecque s'affranchit en un envol spéculatif, « en examinant depuis le haut les principes pour en laisser se dégager les conséquences, sans manipulations matérielles et selon les vues de l'esprit ». C'est en cela que, selon Proclus, elles deviennent dignes de coopérer à la formation de l'homme libre, c'est-à-dire de l'homme que l'esclavage des autres débarrassait de toute corvée utilitaire. Mais même une liberté moins expressément aristocratique devra sa possibilité à l'affranchissement pythagoricien. « Que nul n'entre ici s'il n'est géomètre ! » Cet avertissement platonicien annonce le livre VII de la *République,* où l'accès au Bien, c'est-à-dire la culmination en l'homme de son propre sommet, suppose l'élan purificateur qui anime les mathématiques. Je crois qu'il n'y a là aucun paradoxe. Car, lorsque de nos jours un écolier comprend pour la première fois la rigueur idéale d'une démonstration, n'en est-il pas plus sérieusement transformé en lui-même que par l'homélie édifiante et louche du prédicateur de l'idéal, dont l'ostentation de moralisme n'est souvent que pornographie à rebours ? « J'aimais et j'aime encore les mathématiques pour elles-mêmes comme n'admettant pas l'hypocrisie et le vague, mes deux bêtes d'aversion. (...) Mon père abhorrait les mathématiques par religion, je crois, il ne leur pardonnait un peu que parce qu'elles apprennent à *lever le plan des domaines.* » Ce propos de Stendhal[3] se passe de commentaires.

Présumer une connexité radicale entre la formation mathématique et l'authenticité spirituelle, sur quoi Platon fonde tout son programme d'éducation, nous le retrouvons avec un éclat quasi platonicien dans la France du XVIIe siècle, et c'est par là certainement que Descartes et Pascal dépassent l'amabilité du scepticisme de Montaigne. Ce qui caractérise en effet le livre des *Essais,* c'est que, s'il rend vivante pour nous une étonnante familiarité avec les moralistes et les poètes de l'Antiquité, il demeure totalement étranger à l'extraordinaire fièvre de progrès scientifique dont Montaigne est cependant le contemporain. La mécanique, l'astronomie, et ce que Descartes appellera « l'algèbre des Modernes » sont en train de se constituer. Mais l'homme qui, à cinquante ans, est capable de « courre d'un fil » Tacite à livre ouvert, ignore Copernic

3. *Vie de Henry Brulard,* édition du Divan, 1949, p. 130 et 372.

dont le livre avait paru quarante ans plus tôt, comme il ignorera Viète qui n'est cependant que de sept ans son cadet. Le résultat est que, lorsque Montaigne parle de géométrie, c'est seulement par ouï-dire et pour pyrrhoniser. Les *géométriens* ne sont qu'une *secte* parmi ceux qui prétendent follement révéler le visage « pareil et universel » de la vérité : « Et m'a l'on dit qu'en la géométrie (qui pense avoir gaigné le haut point de certitude parmy les sciences) il se trouve des démonstrations inévitables, subvertissans la vérité de l'expérience : comme Jacques Peletier me disait chez moi qu'il avait trouvé deux lignes s'acheminans l'une vers l'autre pour se joindre, qu'il vérifiait toutefois ne pouvoir jamais, jusques à l'infinité, arriver à se toucher[4]. » Cette manière expéditive de liquider la notion d'*asymptote* nous fait suspecter que l'homme qui prétend préférer à la tête « bien pleine » une tête « bien faite » retarde un peu sur son propre programme. Par son ignorance systématique du mouvement des sciences, auxquelles il préfère anachroniquement le jeu des références littéraires accumulées, Montaigne mérite un peu les sévérités dont l'accablera moins d'un siècle plus tard Malebranche : « Montaigne qui a tant d'aversion pour la pédanterie pouvait bien ne porter jamais robe longue, mais il ne pouvait pas se défaire de ses propres défauts. Il a bien travaillé à se faire l'air cavalier, mais il n'a pas travaillé à se faire l'esprit juste, ou pour le moins il n'y a pas réussi. Ainsi il s'est plutôt fait un pédant à la cavalière (...) qu'il ne s'est rendu raisonnable, judicieux et honnête homme[5]. »

Il semble ainsi que dès le XVIe siècle on pourrait admettre un échec des « humanités », dans leur prétention à reposer exclusivement sur une culture gréco-latine qui se permettrait d'ignorer au profit des belles-lettres l'avancement de la pensée scientifique. C'est pourquoi leur retranchement en elles-mêmes ne sera qu'une survivance de routine. La montée des sciences au cours des trois derniers siècles va imposer peu à peu leur incorporation dans les programmes de l'enseignement humaniste. Les choses iront quand même lentement, car ce n'est qu'au début du siècle que les pouvoirs publics se rendent tout à fait à l'évidence. C'est en effet en 1902 qu'est créé en France, comme examen terminal des études secondaires, un nouveau baccalauréat, symétrique du baccalauréat de philosophie : celui de mathématiques élémentaires. L'événement est d'importance. Il signifie la reconnaissance officielle de titre d'humanité à la culture scientifique et, dans la culture scientifique, aux mathématiques principalement. Car, ce qui est reconnu dans les sciences comme formateur et instituteur, c'est avant tout l'envol spéculatif que Proclus honorait en Pythagore, autrement dit, c'est

4. *Apologie de Raimond Sebond.*
5. *Recherche de la vérité,* livre II, 3e partie, chap. V.

la liberté souveraine des mathématiques à l'égard de la « réalité du monde sensible », si chère fût-elle à Jaurès. « C'est pour lutter contre elle que les neuf dixièmes de vos élèves vous demandent des armes », disait Henri Poincaré dans une conférence aux professeurs de mathématiques[6]. Dès lors, on comprend mal Lachelier écrivant à peu près à la même époque : « L'esprit de ces sciences est empiriste et matérialiste. » Il n'est tel en effet que vu d'un peu trop loin, comme Montaigne voyait d'un peu trop loin la géométrie des asymptotes... L'institution du baccalauréat de mathématiques ne signifie donc nullement la préoccupation d'un « bagage » scientifique qui serait indûment annexé à la culture littéraire, mais la mise en route d'une formation véritable sans laquelle c'est à l'humanité même de l'homme que l'enseignement fait défaut.

Le problème de l'harmonisation des lettres et des sciences en une synthèse qui ne sacrifierait systématiquement ni les unes ni les autres n'a d'ailleurs pas été insoluble. Dans nos lycées et nos collèges, « Scientifiques » et « Littéraires » ne se sont quand même pas séparés comme l'huile et l'eau dans un verre. On peut même dire que, pour aboutir à une scission radicale, il fallut un peu d'artifice et de mauvaise foi. On réussit à l'obtenir dans les Ecoles normales primaires, où les élèves étaient tenus à l'écart à la fois des études gréco-latines et de certains aspects des mathématiques — la géométrie des coniques, par exemple —, en vue de bien marquer la dénivellation indispensable de l'enseignement primaire par rapport à l'enseignement secondaire. Le forfait s'est prolongé de nos jours, dans la mesure où les futurs instituteurs furent discrétionnairement contraints au baccalauréat dit de « sciences expérimentales », création vichyssoise et pédagogiquement informe. Mais, enfin, dans l'enseignement secondaire tout au moins, la scission était plus verbale que réelle. Ce n'est pas l'avènement à la dignité humaniste des études scientifiques, c'est, sous nos yeux, l'intervention d'un troisième facteur qui va compliquer la situation des humanités, au point d'obliger à la repenser de fond en comble. Ce troisième facteur est le facteur technique.

L'intervention dans l'enseignement du facteur technique paraît traduire au premier plan une nécessité sociale : celle de peupler d'un personnel qualifié les ateliers de la grande industrie et, plus généralement, de répondre aux besoins nés de l'industrialisation et de la mécanisation croissantes de tous les aspects de l'activité humaine. Valéry décrit très bien l'énormité du phénomène : « L'humanité s'est engagée dans une aventure de portée, de durée incalculables, qui ne tend à rien moins[7] qu'à *l'éloigner indéfiniment de ses conditions naturelles ou primitives* d'existence. Tout se passe comme si

6. *Science et méthode,* p. 133.
7. Valéry aurait dû dire : rien de moins.

l'espèce humaine était douée d'un instinct paradoxal, tout opposé à l'allure de tous les autres instincts, qui tendent, au contraire, à ramener l'être vivant au même point ou au même état. C'est cet instinct étrange, et comme isolé entre tous les autres, cet *instinct de l'écart sans retour,* qui nous pousse à refaire, en quelque sorte, le milieu où nous vivons, à nous donner des soucis et des occupations parfois excessivement éloignés de ceux que nous imposent les besoins purs et simples de la vie animale[8]. » L'aventure sans retour que décrit Valéry se traduit concrètement par la disparition croissante de *l'homme qui pouvait être complet,* remplacé par des équipes de plus en plus spécialisées de ces hommes incomplets que sont les techniciens. Car la transformation gigantesque du monde à laquelle nous assistons ne fait qu'un avec son invasion par l'organisation technique, ou, dirait Friedmann, par le passage du monde comme *milieu naturel* au monde comme *milieu technique...* Mais que devient dès lors la question des humanités ?

Nous avons dit plus haut que le problème posé par la dualité des humanités classiques et des humanités scientifiques n'avait pas été insoluble. Ne serait-il pas alors possible de rattacher à des « humanités » en un sens élargi la formation de l'indispensable technicien au fil conducteur du rapport étroit qui rattache à son tour la technique à la science ? Au fond, la culture technique ne pourrait-elle pas être une simple extension de la culture classique, littéraire et scientifique à la fois ? C'est bien ce qu'avaient cru d'abord certains, par exemple M. Louis Ragey, qui fut en son temps directeur du Conservatoire national des arts et métiers. Mais l'expérience des réalités l'a de plus en plus éloigné de sa première conviction : « J'ai soutenu comme bien d'autres, écrit-il dans un article de 1949, qu'il n'y a pas deux langues et deux littératures françaises, deux histoires, l'une pour les bourgeois et l'autre pour les ouvriers. J'ai affirmé que les mathématiques élémentaires du bachelier et celles de l'agent technique ne souffraient pas de différence, et aussi la physique et la géographie. Aujourd'hui, je me demande si ces évidences ne sont pas sophistiques. » Et en effet, commente Georges Friedmann qui cite ce texte dans sa belle étude *Humanisme du travail et humanités,* « les fins des disciplines ne sont pas les mêmes dans les deux ordres d'enseignement, les pôles d'intérêt sont différents. Les élèves du technique sont déjà orientés vers des professions, leur univers est déjà celui de la vie pratique, active, souvent des contraintes prochaines du gagne-pain. Le travail manuel, qui est source de culture, les dote de moyens d'exercer leur pensée, leur imagination, leur esprit de finesse — tout différents de ceux dont disposent leurs camarades du second degré. » Si donc nous ne nous laissons pas

8. *Vues,* La Table ronde, 1948, p. 102-103.

égarer par les mots, il faut bien admettre qu'un véritable fossé sépare le technique du classique, qu'il soit littéraire ou scientifique.

Constater l'existence de ce fossé nous amènera même peut-être à renverser la question telle que nous l'avons d'abord posée. Car, dit à juste titre Friedmann, « le travail manuel est source de culture ». Or, cette culture sans verbalisme, vécue et pensée à la fois, est encore inconnue dans l'enseignement classique, qu'il soit littéraire ou scientifique. Dès lors cet enseignement, au lieu d'apparaître avec ses « humanités » comme une sorte de forteresse privilégiée de l'humanisme, n'aurait-il pas besoin lui-même d'être humanisé à partir de la culture technique ? En d'autres termes, d'où vient au juste l'humanité ? Faut-il la faire descendre du « classique » où elle avait eu sa résidence initiale, vers le « technique » ? Faut-il au contraire lui permettre de remonter du « technique » vers le « classique » qui, dans son éloignement de la vie et des métiers, n'est lui-même qu'une monstruosité inhumaine dans un monde qu'il prétend vainement humaniser ? Nous retrouvons là une idée déjà ancienne. C'est celle qui présida, au XVIIIe siècle, à la mise en chantier de *l'Encyclopédie.* Par opposition au XVIIe qui demeure un siècle « contemplatif », le XVIIIe siècle se sent pratique et même manuel. Bien que le véritable métier à apprendre soit la vie humaine à laquelle la nature appelle tous les hommes, l'Emile de Rousseau « doit apprendre un métier ». Cette vocation manuelle du « siècle des Lumières », nous la saisissons sur le vif dans les théories philosophiques de la vision qui se développent alors un peu partout. L'œil contemplatif est déchu de son privilège. Pour Berkeley, seul le toucher nous enseigne l'espace. Et c'est, dit Condillac, la main qui apprend à l'œil à voir. L'ambition de l'*Encyclopédie* est moins d'apporter des idées à ceux qui travaillent que de donner de l'esprit à ceux qui n'ont que des idées, en les exposant au vent qui souffle des métiers. Bergson écrira encore en 1934 : « Exerçons donc l'enfant au travail manuel (...) : l'intelligence remontera de la main à la tête[9] ».

Pouvons-nous cependant négliger un tout autre côté de la question ? Si le vent qui souffle des « métiers » vivifie les idées en faisant remonter jusqu'à elles l'humanité du monde du travail, de la technique moderne provient aussi un tout autre souffle. Nous ne sommes plus au temps où Descartes pouvait annoncer avec tant d'entrain le remplacement de la « philosophie spéculative » qu'on enseigne dans les écoles par une philosophie « pratique » grâce à quoi les hommes deviendront pour leur bien « comme maîtres et possesseurs de la nature ». Lorsque Descartes parlait ainsi, il ne pouvait prévoir que la nature, dominée par la technique moderne, asservirait à son tour celui qui avait cru pouvoir ainsi la mettre à

9. *La pensée et le mouvant,* P.U.F., 1939, p. 106.

son service, et que le « maître et possesseur de la nature » ne serait plus en fin de compte, dira Heidegger, que ce soit « dans la figure du travailleur » ou dans celle du « consommateur », qu'un « fonctionnaire » de la technique. L'idée de conjurer un tel envoûtement fut un stimulant de maintes recherches, y compris de l'espoir qu'un projet d'éducation, celui-là même qui s'avisa de s'incorporer quelque chose de la vie propre des métiers, saurait préparer par l'école à la situation nouvelle de l'homme dans le monde les plus jeunes en les formant ou en les informant. L'échec est ici exemplaire. Mais la raison d'un tel échec demeure énigmatique. Il se pourrait que tout provienne d'un tel aveuglement de l'homme *moderne* devant le phénomène de la technique *moderne* que la possibilité même d'un rapport plus libre avec elle lui soit irrémédiablement hors de portée.

L'interprétation courante du technique est en effet son assimilation au pratique par opposition au théorique dont l'arrogance l'aurait indûment éclipsé. Kant lui-même en était naïvement resté là, et il n'est pas jusqu'aux Chinois qui n'aient cru dérisoirement franchir une étape décisive en imposant dans le travail manuel des exercices d'humilité, prétendument démocratiques, à leurs « intellectuels ». Or il se pourrait précisément que l'interprétation du technique à partir de l'opposition du pratique au théorique, telle qu'elle paraît suffire à Kant et à Descartes, comme elle suffira à Marx, soit le point exact de la confusion. Le mot même de technique est en effet un terme ambigu qui ne dit le pratique qu'à condition de dire aussi le théorique, si bien que prétendre avec Marx éclairer la technique à partir d'une priorité du pratique sur le théorique, non l'inverse, pourrait bien être un *lucus a non lucendo.* La technique au sens moderne n'atteste nullement, n'en déplaise à Marx, que le pas devrait revenir à la *praxis* sur la spéculation, même si l'emploi courant de la pompe à feu dans les mines a devancé et préparé les *Réflexions* de Sadi Carnot *sur la puissance motrice du feu,* mais simplement que, là où pratique et théorie se répondent l'une à l'autre, *anapalin,* disait Aristote[10], il arrive parfois que l'une des deux puisse avoir une avance historique sur l'autre — exceptionnellement, le pratique sur le théorique, mais le plus souvent, comme le soulignait Comte, l'inverse. Jongler, à propos de la technique moderne, avec les concepts essentiellement jumeaux de théorie et de *praxis* revient tout simplement à reposer en toute occasion le problème insoluble de la poule et de l'œuf : qui des deux d'abord est sorti de l'autre ?

Mais comment dès lors situer la technique moderne ? Elle signifie, dit Heidegger, non pas une simple mise en pratique, plus ou moins contingente, de sciences préexistantes ou encore à fixer, mais ceci précisément qu'une *praxis* antérieurement développée

10. *Physique* B. 9, 200 a 19.

(l'*Insein* de *Sein und Zeit*) ait pu, se transformant de fond en comble, se trouver ultérieurement à ce point axée sur elle-même qu'elle n'ait plus voulu savoir des choses que ce qu'en peut déterminer a priori le *projet mathématique de la nature*[11], c'est-à-dire celui qu'à partir de Galilée mit à l'ordre du jour, il y a trois cent cinquante ans, cet extraordinaire prospectus de la modernité que fut en son temps le *Discours de la méthode.* Nous le lisons aujourd'hui comme s'il allait de soi, alors qu'il marque l' « aube grise », dit Nietzsche[12], d'une entrée de l'homme dans le monde encore inconnu à lui de la technique moderne. Le caractère proprement *technique* d'un tel projet ne vient pas tant, comme le veut Descartes (même s'il ignore encore le terme de technique), de ce qu'il réclame de *praxis,* que de ce qu'il éclate comme théoriquement supérieur à tout autre, au sens où Platon disait l'architecture « plus technique », c'est-à-dire mieux sachante que la musique, qu'il tenait pour plus « stochastique » (*Philèbe,* 55e-56a). C'est en ce sens proprement grec que Heidegger prend le terme de technique pour dire à partir de là « que c'est la science moderne de la nature qui repose dans le développement de l'essence de la technique moderne, et non l'inverse[13] ». Mais cela revient, rétorquent ses contradicteurs, à jouer sur le sens des mots. Le tout est de savoir si ce prétendu « jeu de mots » ne va pas plus loin dans l'éclairement de la chose que l'ostentation de savoir des adeptes de la « technologie », dont on peut dire que, dans leurs développements sur la théorie et son rapport avec la pratique, « ils accumulent plus d'ombre et d'obscurité sur ce qui est en question qu'ils n'apportent en lui de lumière[14] ».

En d'autres termes et à la lumière de la pensée grecque problématiquement retrouvée, la technique moderne est pour Heidegger moins un « mode de production », au sens de Marx, qu'un « mode de manifestation » de l'étant dans son être, c'est-à-dire une herméneutique de l'étant au nom de laquelle tout savoir, notait déjà Goethe, « appelle au secours la mathématique[15] » avec sa puissance de calcul, là où une pensée plus initiale se laissait dire d'une tout autre manière la vérité de l'étant. Mais, d'autre part, un tel virage, tel qu'il advint au XVIIe siècle sous le masque d'une philosophie prétendument pratique, alors que le nouveau monde qu'il révèle ne concerne ni plus ni moins la pratique que l'ancien, présuppose à sa source l'initiative grecque à laquelle il se rapporte essentiellement, mais comme une dérivation lointaine garde encore en elle l'écho de son origine, d'autant plus présente qu'elle lui est plus

11. *Hzv.*, p. 69.
12. *Götzendämmerung (Wie die « wahre » Welt zur Fabel wurde).*
13. *Martin Heidegger im Gespräch,* p. 72.
14. *S. G.*, p. 166.
15. *Maximen und Reflexionen,* n° 1260.

voilée. C'est par là seulement que, loin d'être voués, par l'irrépressibilité de la technique, à l'impasse que nous pressentons universellement et dont l'homme d'aujourd'hui ne sait se tirer que par des échappatoires, comme quand Husserl, dans la *Krisis,* prétend « écologiquement » remédier à l'invivabilité du monde issu de la science par le retour à la « naïveté » d'un « monde de la vie » (celui où la droite du géomètre n'est encore que le « droit rebord de la table[16] »), c'est pourtant d'avenir que nous manquons le moins. Mais la reprise de souffle qui, prodrome d'un tel avenir, nous mettrait à même, sinon de traverser le mur que dresse devant nous le monde de la technique, du moins de discerner à travers lui ce qu'il est peut-être en réalité, à savoir non pas ce bloc de vérité irréfutable qu'il a l'air d'être mais, au soir du temps, « l'éclair blafard et silencieux qui signale encore un orage dès longtemps retiré[17] », nous est d'autant plus malaisée que, disait en 1969 Heidegger, « l'un des plus grands parmi les périls qui menacent notre pensée est aujourd'hui précisément celui-ci : que la pensée — au sens de la pensée philosophique — n'ait plus aucun rapport véritablement original avec la tradition d'où elle est issue[18] ».

Dans l'intervalle ou, mieux, dans l'interrègne — comme on dit : le *grand Interrègne* — où, par excès de technique, nous sommes sans un regard possible pour l'essence de la technique[19], il n'est nullement sûr que la « formation des informaticiens » qui passe aujourd'hui pour le *nec plus ultra* de l'éducation technicienne soit beaucoup plus qu'une acquisition de réflexes, ni par conséquent que la forme sous laquelle la « technique planétarisée[20] » rejoint éducativement son homme puisse faire de lui autre chose qu'un insecte politisable, la politique n'étant à son tour que la distinction, elle-même technicisée, d'une « droite » et d'une « gauche » au-delà de quoi ce serait, paraît-il, faire preuve d' « atechnie » que de prétendre aller. Il n'est même pas sûr qu'une essence encore inconnue de la technique n'ait déjà pénétré aussi bien la formation littéraire que la formation scientifique telles qu'elles sont aujourd'hui pratiquées, comme on le voit par l'assimilation éhontée de la philosophie à de prétendues « sciences humaines », la science étant à son tour tenue pour une puissance autonome devant laquelle la philosophie aurait à se justifier et dont la technique, sauf un rapport en elle présumé à la vitalité de la vie, serait l'application. Peut-être avons-nous au contraire à « honorer plus haut » la question d'*origine*

16. *Krisis,* p. 132. Comme on voit, c'est Husserl, non Heidegger, qui aurait été « en fin de compte le premier théoricien de la lutte écologique » (*Heidegger,* par René Scherer et Arion Lothar Kelkel, 1973, p. 5).
17. *Hzw.,* p. 312.
18. *Martin Heidegger im Gespräch.*
19. *V. u. A.,* p. 43 sq.
20. *E. M.,* p. 152.

que pose le développement de la technique *moderne,* bien qu'alentour tout nous en écarte aujourd'hui. Et là rien ne serait de trop. Pas plus l'étude des Sciences, qui ne sont nullement des intruses, que l'étude des Lettres, qui, disait Montaigne, nous joignent à ceux dont notre présent « est parti ». Mais, aujourd'hui, parlons-en ! Dans le monde de la « formation » que les Grecs tenaient pour « pédagogique », tout se réduit aux Sciences, réduites à leur tour, malgré la référence trompeuse à une prétendue « recherche fondamentale », aux spécialisations qu'elles autorisent, l'étude des Lettres étant, de son côté, scientifiquement décapitée. Quant aux écoles techniques, elles prolifèrent sans gloire, réclamant tout au plus d'être mieux prisées, vu l'importance dont elles font parade. Elles ne dépassent pas en réalité le niveau du dressage le plus utilitaire, celui qui correspond à la recherche de « débouchés ». Tel était dès 1877 le projet nietzschéen de la formation des « sous-hommes », indispensables à l'existence du « Surhomme : *Unser Ziel muss sein :* eine Art *der Bildungsschule für das ganze Volk — und ausserdem Fachschulen*[21]. « Voilà le but qu'il nous faut atteindre : tronc commun uniformément pour tout le monde — et, outre cela, formation technique. » Nous y sommes enfin. L'horreur est à son comble.

Faudrait-il dès lors écouter ce qu'en 1952 nous disait Heidegger, posant pour la première fois la *question* de la technique ? Mais ce que dit Heidegger ne sert à rien ! Certes. Non seulement il n'a jamais prétendu le contraire mais il a même reconnu, dans une conférence inédite qu'il prononça en 1962 dans un cercle privé de technologues et de techniciens, que le salut du monde revenait peut-être à ceci : éveiller en nous un sens pour l'inutile. Mais que vient faire le sens de l'inutile dans un monde où l'utilitarisme est partout à l'ordre du jour ? Inutile, disait-il cependant, dans la mesure où aucune issue pratique n'en peut *immédiatement* résulter, est le *sens des choses.* Et cependant ce sens est le plus nécessaire. Car, sans le sens des choses, c'est l'utile lui-même qui n'a plus aucun sens et, du coup, ne sert plus à rien. C'est alors que, sans épiloguer plus avant, Heidegger lut à ses auditeurs un apologue tiré de Tchouang-tseu qui fut, dans l'ancienne Chine, à peu près au temps où en Grèce vivait Platon, le premier taoïste historique. Le voici tel qu'on peut le traduire en français :

L'ARBRE INUTILE

Hui-tseu, s'adressant à Tchouang-tseu, lui dit : « J'ai dans mon bien, un arbre de grande taille. Son tronc est si noueux et si tordu qu'on ne peut pas le scier correctement. Ses branches sont si

21. *Humain, trop humain,* Ed. Colli et Montinari, I, p. 407, n° 22 (18).

voûtées et vont tellement de travers qu'on ne peut pas les travailler d'après le compas et l'équerre. Il est là au bord du chemin, mais aucun charpentier ne le regarde. Telles sont vos paroles, ô maître, grandes et inutilisables, et tout le monde se détourne unanimement de vous. »

Tchouang-tseu dit à son tour : « N'avez-vous jamais vu une martre qui, s'aplatissant, est aux aguets en attendant que quelque chose arrive ? Elle va sautant de place en place et n'a pas peur de sauter trop haut, jusqu'à ce qu'elle tombe dans un piège ou se laisse prendre au lacet. Mais il y a encore le yack. Il est aussi grand qu'une nuée d'orage. Il se dresse, considérable. Seulement, il n'est même pas capable d'attraper des souris. Vous avez, dites-vous, un arbre de grande taille et déplorez qu'il ne serve à rien. Que ne le plantez-vous dans une lande déserte ou au beau milieu d'une terre vacante ? Alors vous pourriez rôder oisivement autour ou, n'ayant rien d'autre à faire, dormir sous ses branches. Aucune scie, aucune hache ne sont là pour le menacer d'une fin prématurée, et nul ne saurait lui porter dommage.

Que quelque chose ne serve à rien, en quoi faut-il vraiment s'en mettre en peine ? »

A PROPOS DE « QUESTIONS IV » DE HEIDEGGER

> Les Français n'ont point d'existence personnelle; ils ne pensent et n'agissent que par masses, chacun d'eux par lui seul n'est rien.
>
> J.-J. ROUSSEAU

Les lignes qui suivent ont été motivées par une étude de M. Alain Renaut parue dans le dernier numéro des *Etudes philosophiques* (n° 4, octobre-décembre 1977, p. 485 à 492) et intitulée « La fin de Heidegger et la tâche de la philosophie ». Signalons au départ qu'elles ne concernent que les pages 485 à 488 de cette étude, car, sur le reste, je n'ai rigoureusement rien à dire. Ce sont seulement les quatre premières pages qui me paraissent appeler quelques remarques de ma part, ces pages traitant du cas des traducteurs de *Questions IV,* dont il se trouve que je suis.

Tout le début du texte de M. Renaut s'attache à créer, autour de *Questions IV,* une atmosphère de suspicion. « Quoique autorisée par Heidegger, cette publication appartient-elle à son œuvre ? » (p. 485). Publiés sans que soit indiqué le nom des rédacteurs, les protocoles des *Séminaires* du Thor et de Zähringen auraient déjà fait « reculer » des lecteurs pourtant avertis qui soupçonnent des Anonymes de « véhiculer » par excès de zèle de pseudo-formulations de Heidegger « comme bel et bien *siennes* » (*ibid.*). Disons d'entrée de jeu que parler ainsi, c'est rêver les yeux ouverts. Ce que les prétendus Anonymes ont « véhiculé » jusqu'à le confier à un éditeur, ce sont simplement des *Protocoles* rédigés au jour le jour et dont l'authentification provient de ce qu'ils ont été lus un à un devant Heidegger qui, à l'époque, a fait des remarques concernant leur contenu, qui ensuite les a eus en main, et enfin a désiré qu'une traduction allemande, faite en accord avec lui-même, fût publiée, ce qui eut lieu en 1977. Il est vrai qu'à l'édition française, qui a précédé de plus d'un an l'édition allemande, a manqué qu'un responsable de la composition ait été désigné. D'où un certain défaut de coordination, chacun ayant travaillé de son côté. A quoi l'édition allemande (Klostermann, 1977), dont le responsable est Curd Ochwadt, a heureusement remédié. Serait-ce trop demander aux lecteurs que de s'y reporter sans mauvais gré, et en particulier aux pages 150 et 151 ?

L'essentiel, aux yeux de M. Renaut, n'est d'ailleurs pas là. Il tient plutôt les textes, dont, sur la base des défauts évidents de l'édition française, il croit devoir suspecter l'authenticité, pour symptomatiques. Car à ses yeux la gaucherie parfois juvénile des *Protokollanten* dénonce d'autant mieux à un œil exercé l'abri dans lequel Heidegger, qui est, comme le *Sophiste* de Platon, un bien plus rusé renard que ses disciples naïfs, excelle à se barricader et dont ne peut le débusquer qu'un « démontage interne » (p. 486) de sa propre pensée. Quant aux textes eux-mêmes, ils ne font que reproduire « un des visages les plus insidieux de l'hagiographie, qui retarde le débat de fond avec une pensée dont, sans un tel débat, la portée ne peut pourtant être reconnue » (p. 487).

Un des tours de l'« hagiographie » ou de la « sacralisation » dans quoi donneraient à fond, paraît-il, les « traducteurs de *Questions IV* » est à son tour le « culte de la bizarrerie » (p. 486), qui elle-même prend aisément les formes de la préciosité ou de l'archaïsme. Il y a, certes, dans la parole de Heidegger, comme dans celle de tout grand penseur, quelque chose d'insolite. Mais la bizarrerie en est la caricature maladroite. M. Renaut en donne deux exemples. Le premier, il l'emprunte à une traduction due à Jean Lauxerois et Claude Roëls, qu'il s'abstient de nommer clairement. Le second, c'est à moi-même qu'il l'emprunte, sans davantage me nommer. C'est pourquoi je me propose, au lieu de cultiver plus avant le clair-obscur, d'examiner d'abord les deux traductions dénoncées pour ensuite aborder, à partir de là, des questions un peu plus générales.

1°) Nous lisons dans le texte de M. Renaut (p. 486) : « Traduire *Gefahr* chez Heidegger, par "péril" est seulement inexact, mais que dire de la transcription de *das Nachstellen* par "la traque" ? » *Que dire ?* signifie, d'après le contexte : Quelle *bizarrerie* qu'une telle traduction ! Ce qui ici me paraît bien plutôt bizarre, c'est à la vérité le premier membre de phrase. Car où est au juste l'inexactitude de la traduction « chez Heidegger » (?) de *Gefahr* par « péril » ? M. Renaut néglige d'ailleurs de s'expliquer. Il lui suffit d'être péremptoire. Quant au second membre de phrase (que dire... ? etc.), il n'est pas précisé non plus, dans le texte proposé aux lecteurs des *Etudes,* en quoi la traduction de *das Nachstellen* par « la traque » mérite une telle censure. Le texte de M. Renaut présupposerait-il un texte antérieur ? C'est en effet le cas. Ce texte existe bel et bien, mais sous la forme d'une lettre qui reste, pour le moment, secrète, lettre adressée collectivement en mars 1976 à Heidegger lui-même, pour le mettre en garde contre quelques-uns à qui, jusqu'ici, il aurait imprudemment accordé sa confiance, à savoir les « traducteurs de *Questions IV* »[1], qui sont même accusés *in cauda* de s'être déjà arrogés, outre « la traduction complète de *Sein und Zeit* » (elle est en effet enfin en cours), celle « du premier volume de la *Gesamtausgabe* » (pour laquelle, précisons-le, il n'y a même pas de contrat d'édition). C'est de ce document, où triomphe le ton de la suffisance qui est aussi celui de la sottise, que vient la lumière sur ce à propos de quoi M. Renaut, dans son étude des *Etudes,* omet d'éclairer sa lanterne. On y trouve en particulier la dénonciation de la traduction, dans *Questions IV,* de *das Nachstellen* par « la traque », « métaphore policière ou terme de chasse (*das Hetzen* !). »

Nos épistoliers clandestins et, en leur nom, M. Renaut, entendent donc, dans la traduction qu'est *Questions IV,* « la traque » comme un équivalent de *das Hetzen,* qui est bien en effet un terme de chasse et même de chasse à courre. Il peut d'autre part évoquer plus ou moins « Fort-Chabrol » où finalement on (la police) force la bête prise au piège en la réduisant aux abois. Le seul ennui est que « traquer » ne dit rigoureusement rien de tel mais signifie à la lettre, à partir de l'anglais d'où sans doute il provient, mais où il a bien dû arriver de France : se mettre sur une piste et ainsi dépister quelque chose qui se dérobe encore, ne s'annonçant que par des nouvelles de lui qu'à son insu il donne de loin. La traduction de Jean Lauxerois et Claude Roëls n'est donc nullement fantaisiste, encore moins bizarre, sauf pour qui confond grossièrement comme on le voit dans l'arrière-texte du texte de M. Renaut, « la traque » avec *das Hetzen.* Même les dictionnaires courants favorisent la confusion. « Traquer », si ce terme ancien dit pourtant à la lettre se mettre sur la piste de ce que l'on ne peut fixer qu'à partir de là, comme on traque ou « étraque » un renard grâce aux traces légères qu'il laisse *de* lui sur la neige, et non en fondant brutalement *sur* lui, répond même au plus proche au verbe *nachstellen.* Mais lisons-nous dans *Was heisst Denken ?* (p. 87), « parler la langue est quelque chose de tout différent de l'utilisation d'une langue ». Surtout, ajouterons-nous, quand cette utilisation est incorrecte. J'avais même écrit dans la dernière lettre que j'ai adressée à Heidegger : « Char le sait, mais non pas le *On.* » Patrice de La Tour du Pin lui aussi le savait quand il intitulait un de ses poèmes « La traque »[2], où il ne s'agit d'aucun

---

1. Cette lettre à Heidegger, transmise selon la règle aux traducteurs par l'éditeur à qui elle avait été communiquée pour information, est signée par M. Munier et contresignée par MM. Birault, Braun, Foucher, Haar, Mongis, Renaut, Taminiaux et par Mlle de Andia.

2. Le poème commence ainsi, répondant aussitôt à son titre : *J'avais suivi tes pas perdus au fond des bois...* Est-ce là *das Hetzen* ?

forçage mais d'une tout autre aventure. Somme toute, devant la traque de Lauxerois et Roëls, nos puristes s'exclament comme Philaminte devant le franc-parler de Chrysale :

> Ah ! Que sollicitude à mon oreille est rude ;
> Il pue étrangement son ancienneté !...

Mais passons ! — c'est-à-dire passons au second grief.

2°) Il s'agit cette fois de la traduction d'*Unverborgenheit* par « Ouvert sans retrait ». Cette traduction a elle-même son histoire. Dénoncée seulement en 1978, elle apparaît pour la première fois en avril 1964 à l'occasion de la communication de Heidegger que je devais lire en son nom, mais en français, au cours de la séance prévue par l'Unesco pour le 21 avril 1964 en hommage à Kierkegaard. De retour à Paris d'un voyage en Allemagne où je m'étais rendu, à la demande de Heidegger, pour prendre connaissance du texte à traduire et m'entretenir avec lui des possibilités de la traduction, je demandai à François Fédier de venir chez moi pour l'établissement d'une version définitive que je lui dictai, tandis qu'il écrivait sous la dictée. Nous en arrivâmes ainsi au point le plus brûlant de notre travail, qui était la traduction allemande donnée par Heidegger des vers 28 à 30 du fragment I du *Poème* de Parménide. La première traduction en français fut, comme l'atteste le manuscrit de Fédier, celle d'*Unverborgenheit* par... *alétheia,* c'est-à-dire par un retour au grec. Suivait immédiatement celle d'*alétheia,* la traduction d'*Unverborgenheit* par « non-abscondité ». Si je m'en étais tenu à cette transposition brutale du latin en français, peut-être M. Renaut serait-il aujourd'hui content ? J'aurais certes pu dire « dévoilement ». Mais, outre que c'est un terme que je n'aime guère, car il répond à *Enthüllung,* qui, pour Heidegger, ne s'entend lui-même qu'à partir d'*Unverborgenheit,* il me conduisait à l'étrange locution : « Tant du dévoilement, rondeur parfaite, le cœur qui point ne tremble. » La rondeur et le cœur du dévoilement ? Voilà qui eût été, à mon sens, « bizarre ». Heureusement dans notre texte, un peu plus haut, figurait déjà la traduction de *die Lichtung,* qui est le mot le plus sensible de toute la conférence, par « la clairière de l'Ouvert ». C'est tout simplement de là qu'est venue la solution adoptée. *Unverborgenheit* dit bien l'Ouvert et sa clairière, mais de telle sorte que celui-ci, à la différence ce qui a lieu dans le cas de ce que nomme *Lichtung,* ne comporte plus aucun retrait. Je proposai donc à Fédier : « Tant de l'Ouvert sans retrait, rondeur parfaite, le cœur qui point ne tremble », comme traduction de celle que donne Heidegger du vers 29 de Parménide.

Voilà toute l'histoire. M. Renaut paraît même en avoir soupçonné quelque chose dans une note (p. 488, n. 6) qu'obscurcit à ravir le double emploi de « on » que, semble-t-il, il affectionne : « Si l'*on* soutient (autre possibilité) qu'ouvert sans retrait traduit non pas, etc., *on* peut pourtant aussi, etc. » Si M. Renaut avait écrit : « Si *Beaufret* s'avise de soutenir qu'Ouvert sans retrait traduit non pas la pensée heideggerienne du dévoilement (incluant en lui le retrait), mais la saisie *grecque* de ce dévoilement (oubliant[3] le voilement qui lui est intimement présent), cela consiste à choisir de placer, dans la pensée grecque, l'accent sur ce par quoi elle médite insuffisamment le retrait, d'*autres que lui* peuvent pourtant aussi, dans la ligne même des lectures heideggeriennes, entendre dans *alétheia* l'écho du fragment 123 d'Héraclite : traduire par Ouvert sans retrait, c'est effacer la vibration de cet écho, etc. », — alors il eût été tout à fait clair. L'unique question reste de savoir si ceux qui font leur la deuxième option sont de meilleurs lecteurs que Beaufret = on, qui a résolument « choisi » la première, pour l'unique raison que c'est Heidegger qui l'a d'abord choisie, écrivant en effet un peu plus loin : « *Alétheia, Unverborgenheit als Lichtung von Anwesenheit gedacht, ist noch nicht Wahrheit.* » Alétheia, non retrait, entendue comme clairière de présence, n'est pas encore gardienne de l'essence de la vérité. Les Grecs ne sont donc *pas encore* au niveau de la question qu'ils ont pourtant eux-mêmes soulevée en dénommant *alétheia* ce que nous appelons vérité. Avec eux, tout en reste encore à « la régie de la patéfaction de la non-latence dans l'étant » comme traduisait très justement, bien que d'une manière un peu rude (mais quoi ? il essuyait les plâtres), mon vieil ami Gilbert Kahn. Un tel « pas encore » n'est cependant point une carence de leur part. Car le « pas encore » qui les caractérise est celui du non-encore-pensé : « Non un pas encore qui ne suffit pas à nous contenter, mais un pas encore auquel c'est nous qui ne satisfaisons pas et sommes loin de satisfaire » (*Hegel und die Griechen, Wegmarken*, p. 272).

En traduisant *Unverborgenheit* par « Ouvert sans retrait », je n'ai donc pas plus « effacé » qu' « estompé » la « dimension du retrait ». Je me suis simplement abstenu de la dire là où elle n'est pas. Car la philosophie grecque est précisément l'*oubli* et non pas l'*écho* du fragment 123 d'Héraclite. Heidegger me disait en 1952 : « Quand l'entente de l'être se fixe sur l'être au sens d'*Anwesenheit,* c'est-à-dire *Unverborgenheit,* alors, dans l'*alétheia,* c'est le moment essentiel de la *léthé* qui demeure lui-même dans la *léthé.* » L'année précédente (1951), il m'avait déjà dit : « Il ne faut pas penser l'oubli de l'être *négativement,* comme quelque chose de fâcheux, mais comme destin de l'être. » Et, à l'automne 1949, se parlant à lui-même, il écrivait même : « Dans le massif de l'être la plus haute cime est le

3. Lire, je pense, « oubliant le » comme « oublieuse du », le participe se rapportant ici à « la saisie grecque » plutôt qu'à *on* (Beaufret).

mont Oubli. » C'est seulement en 1930, avec *Vom Wesen der Wahrheit,* que quelque chose commence à virer, la pensée devenant mémorieuse de l'Oubli lui-même pour entrer par là, et seulement par là, dans l'écho du fragment 123 d'Héraclite dont je propose, bizarre ou non, la traduction suivante : « Rien n'est plus cher à l'éclosion que le retrait. »

Mais pourquoi donc M. Renaut, adversaire de « la traque », poursuit-il aussi et si « curieusement » au sens de Montaigne[4] *ma* traduction d'*Unverborgenheit* par « Ouvert sans retrait » que « consacrerait » à son sens *Questions IV* (p. 487) — ce qui est donner une importance démesurée à une option toute personnelle de Claude Roëls ? Je crains que nous n'en arrivions ici à la découverte du pot aux roses, qui n'est pas, hélas, *vas in honorem,* mais *in contumeliam.* Sans doute ne me sera-t-il jamais pardonné d'avoir, trente années durant, employé le plus clair de mon temps à un dialogue *direct* avec Heidegger à qui les officiels et leurs comparses faisaient alors, sans exception, grise mine. Toute se passe aujourd'hui comme si le peu que je suis, qui n'est beaucoup que pour quelques-uns, était encore trop dans l'optique d'un projet en cours et qui vise à une récupération partielle de Heidegger, sur la base d'une distinction entre un Heidegger convenable et un Heidegger inadmissible. Le cocasse est ici que Heidegger lui-même ait été, en mars 1976, sollicité de coopérer à la manœuvre par le « collectif » plus haut mentionné, qui ne lui demandait au fond qu'une chose : le désaveu enfin de ses prétendus « disciples intimes ». L'étude de M. Renaut n'est pour l'essentiel qu'une filiale du document élaboré en 1976. Non seulement « la traque » mais l' « Ouvert sans retrait » y étaient dénoncés comme irrecevables (avec plus d'explications pour « la traque » et moins pour « l'Ouvert sans retrait »). Le « culte de la bizarrerie », qualifié de « fantaisie falsificatrice », n'y faisait nullement défaut. N'est nouveau que le thème de la « sacralisation » ou de « l'hagiographie » que M. Renaut ne fait d'ailleurs que reprendre de vieilles lunes. Air connu. Heidegger, à l'époque, s'était borné à m'écrire (ce fut pour moi son avant-dernière lettre) : « Votre *Dialogue* est *la* pierre du scandale et le demeurera. »

M'étant à mon sens suffisamment expliqué sur les exemples allégués par M. Renaut pour confondre « les traducteurs de *Questions IV* », passons maintenant à l'accusation de fond : celle d' « hagiographie » ou de « sacralisation ». Comme il s'agit, je viens de le dire, de « vieilles lunes », force nous est d'élargir un peu l'horizon.

Reconnaissons d'abord que c'est au cours des années d'occupation, donc sans connaître Heidegger autrement qu'on le pouvait

4. « Personne n'est exempt de dire des fadaises. Le malheur est de les dire curieusement » (« De l'utile et de l'honneste »).

connaître à l'époque, que, comme il est dit dans la première des *Douze questions* qui me furent posées en 1974 à son propos, je me suis « senti orienté vers[5] » sa pensée. Soyons encore plus clair. Je n'ai certes pas, en France, inventé Heidegger. D'autres que moi en avaient parlé avant moi et ce dès les années qui suivent 1927 (j'étais alors khâgneux). Mais, en 1946, je vais voir Heidegger. Je n'étais pas non plus le premier. M. de Gandillac l'avait fait dès 1945 et c'est ainsi qu'il avait pu nous présenter, dans le numéro des *Temps modernes* du 1er janvier 1946, un Heidegger dont (je cite) « la moustache à la Charlot évoque irrésistiblement certains aspects bonasses du Führer » — le personnage ainsi typé étant celui-là même qui « peu de temps après avoir signifié à Husserl son arrêté d'exclusion, subit (...) à son tour une sorte de demi-disgrâce qui lui sert aujourd'hui d'alibi », comme aussi bien l'auteur d'*Essais* sur Hölderlin où « la *mystique* qu'on y pressent consonne singulièrement à certains mythes nazis ». Comme on voit, M. de Gandillac va droit à l'essentiel, plus expert encore qu'Alexandre Dumas, dans *La reine Margot,* à éclairer l'histoire. La différence fut qu'en 1946 je revins d'Allemagne très peu convaincu de la valeur historique des propos publiés par M. de Gandillac (il ne les a d'ailleurs, à ma connaissance, jamais démentis) et décidé plutôt à étudier sérieusement Heidegger. C'était à l'époque, ce fut de plus en plus une originalité périlleuse dont ma carrière académique fit très heureusement les frais. Mais l'enseignement que je me trouvai alors chargé de donner, d'abord et durant six ans dans la khâgne du lycée Henri-IV, puis pendant dix-sept ans dans celle de Condorcet et aussi à l'Ecole normale supérieure à l'usage des agrégatifs, suscita, de la part de quelques-uns de mes élèves, un intérêt réel pour l'œuvre en cours de Heidegger. C'est surtout le temps de Condorcet qui fut, à ce sujet, décisif où mes élèves furent entre autres, khâgneux ou non, François Fédier, Julien Hervier, Pierre Jacerme, François Vezin, Patrick Lévy, Jean-Luc Marion, Jean-François Courtine, Emmanuel Martineau qui était déjà normalien, Alain Renaut lui-même (qu'y puis-je ?), Jean Lauxerois et Claude Roëls. Nommons aussi en dehors d'eux, au temps d'Henri-IV, Jacques Thuillier et, au temps de Condorcet, Dominique Janicaud et Jean-Philippe Guinle. Durant tout ce temps, j'allais très souvent en Allemagne où, à Todtnauberg d'abord, à Fribourg ensuite, je m'entretenais avec Heidegger qui, de son côté, prenait un intérêt pour moi inattendu à l'enseignement que je donnais en France, dont la singularité était que, sans jamais comporter de cours sur Heidegger, il se tenait au contact direct de la pensée vivante du philosophe. Voilà ce qui a pu donner lieu à la légende extravagante

5. *Douze questions posées à Jean Beaufret à propos de Martin Heidegger,* Dominique Le Buhan et Eryck de Rubercy, Aubier, 1983.

des « disciples intimes » ou des « sectateurs » de Heidegger : vingt-trois ans d'enseignement non pas clandestin, mais public, dans le cadre, outre de l'Ecole normale, de deux khâgnes où je ne savais plus trop bien distinguer entre les khâgneux régulièrement inscrits et les « auditeurs libres » qui finissaient parfois par être les plus nombreux. Il est vrai que l'essentiel n'était pas de « critiquer » Heidegger mais d'étudier la philosophie en n'en arrêtant pas l'étude à Kant, à Nietzsche ou à Husserl, mais en allant bel et bien jusqu'à un point plus brûlant qu'aussi bien mes élèves que moi-même tenions pour *fragwürdig* — disons : problématique. De là à travestir notre travail, rare au moins à Paris *ne dicam unicum,* en une entreprise de persuasion téléguidée par Heidegger, il n'y avait qu'un pas, qui fut en effet aisément franchi. C'est le côté légende de l'histoire. Signalons simplement que, parmi ceux que je viens de nommer, M. Renaut est aujourd'hui le seul à avoir paru préférer la légende à l'histoire.

Revenons donc à son ambition majeure telle qu'elle s'annonce dans la promesse d'un « démontage interne » de la pensée d'Heidegger. Pour démonter Heidegger, il faudrait qu'il fût démontable. Mais pour qu'il le fût, il faudrait aussi que sa pensée ne fût à son tour qu'une sorte de montage, si bien que la première et principale question qui se poserait à son propos devrait être : Où donc veut-il en venir ? Mais où voulait en venir Platon ? Marx démonte à ravir un prétendu montage platonicien en déclarant tout à trac que ce à quoi Platon voulait en venir, c'était « seulement l'*idéalisation athénienne du régime égyptien des castes* » (*Das Kapital,* Dietz Verlag, Berlin 1957, I, p. 385). Peut-être n'est-ce encore que « démontage externe ». Plus « interne » serait peut-être celui de Nietzsche, disant de Platon qu'il n'était là que pour préparer de loin, pour ainsi dire *in aenigmate,* l'éclosion future du surhomme qui n'était nullement à ses yeux un prolétaire émancipé par le « collectivisme ». Mais enfin, « Platon n'était pas aussi borné qu'il en avait l'air quand il enseignait ses concepts comme *fixes* et *éternels* : mais il voulait que ce fût cru » (vers 1885). A quoi Hegel répondait par avance : Et si, en philosophie, la pensée n'était pas un message à décoder, grâce à quelque *Detektiv-Wissenschaft* comme dit Heidegger, mais bien *das Letzte, Tiefste, Hinterste,* autrement dit : « *der einfache Brennpunkt, der alle Strahlen zusammenfasst,* ce qu'il y a de dernier, de plus profond, de plus à l'arrière de tout », en d'autres termes « le foyer simple qui concentre à lui tous les rayons » ? (Hegel, *Vorlesungen über die Geschichte der Philosophie,* Meiner, 1940, p. 120 et 359). Et si Heidegger était même le penseur de la philosophie comme telle ? *Qu'est-ce donc que la philosophie ?,* se demandait-il en 1955 à Cerisy, répondant à sa propre question d'une manière si imprévue qu'absolument aucune ne lui fut posée par aucun de ses auditeurs sur la conférence qu'ils avaient pourtant paru entendre. L'unique souci de l'auditoire était en effet de le « démonter » en le forçant à avouer où il voulait en venir. N'êtes-vous pas en philosophie, demanda M. Gabriel Marcel, un ennemi juré de l'universalité ? Ne faites-vous pas, disait M. Ricœur, l'impasse sur Jaweh ? et M. Goldmann, plus inattendu : Que s'est-il donc passé au juste en l'an 1930, dont vous entendez faire croire aux naïfs qu'il marqua principalement la date de la première divulgation de votre question de l'essence de la vérité ? Heidegger répondit à sa guise par la contre-question. A M. Marcel : L'universalité, comment l'entendez-vous, sinon au sens de ce que Rivarol tenait pour l'universalité de la langue française ? A M. Ricœur : La Bible est-elle donc vraiment une époque de l'histoire de la philosophie ? A M. Goldmann : Où voulez-vous en venir vous-même ? Sur quoi, à la demande de la majorité, on en revint à Kant et à Hegel que Heidegger avait proposés comme thème d'étude en vue de l'approfondissement de *sa* question, en quoi il se révéla, une fois de plus, indémontable.

M. Renaut parle aujourd'hui comme, il y a plus de vingt ans, M. Gabriel Marcel quand, à Cerisy, il disait plaisamment de Heidegger : « Il excelle à nous embrouiller. » Un tel embrouillamini, ses « disciples intimes » l'ont, paraît-il, « sacralisé » au lieu de l'analyser, ce qui n'était pas encore le cas en 1955, sauf lorsque parut, aux Presses Universitaires de France, peu de temps après Cerisy, mon bref essai : *Le Poème de Parménide,* où, retraçant à partir de la page 23 l'historique de l'interprétation, j'essayais de montrer en quoi l'intervention de Heidegger, dans cette chasse gardée de la philologie, fut un événement philosophique de première grandeur. L' « hagiographie » était ici patente. J'appris de qui de droit que je fabulais et sacralisais déjà. Même les Suisses m'écrasèrent, me faisant savoir de Lausanne que tout cela n'était quand même pas très sérieux. Ici, une simple anecdocte. Plus de vingt ans après (c'était au printemps de 1969, quelques mois avant le troisième *Séminaire* du Thor) nous nous trouvions, Heidegger et moi, à Heidelberg, à l'occasion d'un colloque privé organisé par le professeur Gadamer, en l'honneur du quatre-vingtième anniversaire de son maître. Notre hôte nous fit alors connaître une présentation et traduction toute récente de Parménide (Suhrkamp Verlag, 1969) par M. Uvo Hölscher, lui-même professeur de philologie classique à Heidelberg[6]. Heidegger prit le petit livre, le feuilleta, se reporta à la liste des auteurs cités et le reposa sur la table en me disant sans plus : « Vous n'y êtes pas ! » Je le repris aussitôt, vérifiai à mon tour et lui répondis du même ton : « Vous nous plus ! » Il partit alors d'un

6. Le petit livre de M. Hölscher est d'ailleurs excellent par le texte qu'il rassemble et les références qu'il donne (sauf bien sûr à ceux qu'il « omet »); rappelons-en le titre : *Parmenides, Vom Wesen des Seienden* (traduction allemande de *peri physeôs*).

joyeux éclat de rire. C'était pourtant des années après *Vorträge und Aufsätze* et même après *Was heisst Denken ?,* où le commentaire d'un vers de Parménide constitue le sujet de toute la seconde partie. Somme toute, l' « hagiographie » et le « sacralisé » étaient relégués de concert dans les ténébres extérieures. Je remercie d'autant plus M. Jean Bollack de m'avoir fait l'année d'avant, dans la revue *Gnomon* de Munich (Band 40, p. 539-540), l'honneur et l'amitié d'une recension enfin critique de mon petit livre (épuisé) de 1955.* Mais enfin, de quoi s'agit-il ? Encore une fois de la philosophie. Qu'est-ce donc alors (Cerisy) que la philosophie ? Que la parole ici soit d'abord laissée à Sophocle.

> Pour ceux dont la maison trembla d'un séisme venu d'en haut, le fléau.
> Ne cesse de sévir d'un bout à l'autre de la descendance (...)
> Nulle génération n'en libère aucune, c'est un dieu qui frappe, point de délivrance.

La secousse sismique qui fut « pour les Grecs et eux seuls », disait Heidegger à Cerisy, un « don reçu des dieux », avait dit le Socrate de *Philèbe,* c'est la philosophie. Un tel séisme vibre encore dans les *Dialogues* de Platon, pour qui la philosophie est essentiellement la *peristrophé* — le « monde à l'envers » dira, platonisant à sa façon, Hegel — et qui, plus difficile que le « retournement de l'huître », n'en met pas moins tout sens dessus dessous. Heidegger évoquera en 1928 : « L'inversion du regard qui, le détournant de sa fixation naïve sur l'étant, le retourne insolitement de l'étant jusqu'à l'être. » Tout cela, M. Renaut le sait très bien pour l'avoir, je pense, appris en khâgne, où j'y revenais bien souvent. Mais voilà que soudain il paraît, dans le climat de l'être ainsi évoqué, se sentir inquiet. Que faites-vous donc de l'étant ? demande-t-il à Heidegger, car, pour copernicien que l'on soit, comme veut l'être Kant, il faut bien rester ptolémaïque, autrement dit, les pieds sur terre. Autant demander à Cézanne : « Mais si, comme le dira Braque, la peinture telle que vous l'entendez "ne tâche pas de reconstituer une anecdote, mais de consitituer un fait pictural", que faites-vous donc de la montagne Sainte-Victoire devant laquelle vous vous placez pourtant comme vous dites, "sur le motif" ? » Cézanne aurait pu répondre : « Ce que j'en fais ? allez le voir parmi les toiles de la Collection Lecomte ou ailleurs, et il y a, même au Louvre, des aquarelles ! » De même Heidegger, ce qu'il fait de l'étant, ou plutôt ce que la philosophie n'a cessé d'en faire au cours de plus de deux millénaires, il ne cesse non plus de le dire dans tout ce qu'il lui arriva de publier. « Tant il appartient à la vérité de l'être que si jamais l'être ne manifeste sa vigueur sans l'étant, au grand jamais non plus l'étant n'est possible sans l'être. » Ainsi parlait-il en 1949. « C'est à faire tourner la tête,

* Seconde édition inchangée, chez le même éditeur, 1984. Cf. aussi la nouvelle traduction sans l'introduction chez Chandeigne, 1984.

n'est-ce pas », aurait dit la Maréchale de Diderot. Platon l'avait non moins dit dans *Théétète* (175 d) à l'intention de qui s'attache imprudemment à suivre le philosophe jusqu'à l'altitude où il s'établit : « Un tel suspens lui donne le vertige. Le voilà maintenant qui bégaye, tant il se sent dépaysé. »

Si la philosophie commence, avons-nous dit, par un séisme qui secoue de ses gonds le *jusqu'ici,* toute grande philosophie renouvelle à sa guise le séisme initial, ce qui est sa façon d'en garder la mémoire. Mais peut-être faut-il oser dire que, durant plus de deux millénaires, les quelques secousses sismiques qui se produisirent à des intervalles divers dans le monde initié par les Grecs n'allèrent pas plus loin qu'un déplacement de frontières à l'intérieur du déjà donné, sans jamais avoir la portée d'une remise en question plus essentielle. Car elles ne furent que l'écho ou la « libre suite » du radieux début que fut l'apparition de la différence proprement grecque de l'être et de l'étant. C'est seulement en 1927 qu'avec un livre encore *inconnu*[7] eut lieu le passage de ce « premier commencement » à un « autre commencement[8] » plus radical que le premier. Le titre du livre est *Sein und Zeit,* où *Zeit* est à son tour *Vorwort für das Wort des Seins,* qui jusqu'ici était sans *Vorwort.* (D'où « Ouvert *sans* retrait », si insipide à M. Renaut.) « L'autre commencement » que nomme ainsi Heidegger pour le distinguer du départ grec n'est pas à vrai dire un autre que lui, mais essentiellement le même, à la faveur toutefois d'une transformation qui remet ici ce départ en question, ce que jamais ne firent les Grecs ni aucun de ceux qu'ils initièrent à leur *ipsissimum,* la philosophie. D'où il apparaîtrait que si toute grande philosophie a été radicale, nul ne l'est plus que Heidegger, conduit jusqu'où il va par la méditation du précédent husserlien qui n'est nullement, comme on croit, la *Krisis* de 1936, mais la sixième des *Recherches logiques* (1901). Aujourd'hui peu le savent, si l'un de nos archontes a pu écrire ingénument en 1954, à propos du chemin qu'ouvre Heidegger : « Combien plus profond le mouvement de la dernière phénoménologie de Husserl » — à savoir celle que M. Desanti, pourtant si rigoureux sur d'autres points, tenait non moins ingénument, dans une interview récente (*Le Monde,* 1er mars 1978), pour le dernier mot de la phénoménologie elle-même, démontrant ainsi encore une fois que l'ignorance totale en ce qui concerne Heidegger tient au fond même du savoir universitaire. Mais comment en est-on venu là ? A force d'exclusives. Je me rappelle l'étonnement

---

7. Heidegger, en 1949, s'émerveille de l' « assurance somnambulique » avec laquelle les « lecteurs » de *Sein und Zeit* passent à côté de ce qui leur est donné à entendre (*Was ist Metaphysik ?,* p. 17).

8. Il ne s'agit donc pas d'un commencement dont nous serions encore en attente. L' « autre commencement » est derrière nous et a eu lieu en 1927.

de Merleau-Ponty découvrant qu'à un colloque Husserl, auquel il participa en 1951, Heidegger qu'il évoqua dans sa conclusion n'avait pas été convié. Comment ? Celui dont la dette mémorable à l'égard de Husserl lui méritait plus qu'à quiconque la parole, les autres n'étant au mieux que des suiveurs ! Il eut dès lors à cœur de faire cesser ce qu'il tenait pour un scandale et, professeur au Collège de France (où Heidegger venait d'être publiquement vitupéré), il m'annonça, le 25 avril 1961, qu'il avait décidé de demander à l'Assemblée l'invitation de Heidegger. Sa lettre que j'ai sous les yeux se terminait symptomatiquement ainsi : « Enfin pas un mot de tout ceci ici, je te prie, il vaut mieux procéder par surprise. » La surprise fut en réalité quelques jours plus tard la mort soudaine de Merleau-Ponty. Heidegger, tenu lui-même dans l'ignorance de son projet, l'apprit par moi en même temps que la mort d'un juste et ne revint jamais à Paris qu'il avait visité gaiement quelques années plus tôt sans y être l'invité officiel de personne. Il doit cependant exister, quelque part en Amérique, une photo prise à l'improviste et où, à la terrasse du café de Flore (car je l'avais conduit incognito jusque dans ce qui fut le repaire des existentialistes), il figure latéralement dans la posture modeste du donateur[9].

Ce qui précède est là simplement pour évoquer le climat d'interdiction ou d'intimidation à vrai dire feutrée à l'intérieur duquel je m'obstinai à continuer une étude qui, devenue *Dialogue,* concernait aussi quelques autres. Ces « quelques autres », alors étudiants, n'étaient qu'une minorité infime. Pour la majorité de leurs camarades, il fut même on ne peut plus indifférent qu'une invitation faite imprudemment à Heidegger à prendre la parole à l'Ecole normale, et dont il avait accepté le principe, fût restée sans suite, non pas du fait de Heidegger. Mais, insensibles aux pressions extérieures, quelques irréductibles persistaient cependant à découvrir, dans l'étude sans arrière-pensée de Heidegger, une liberté que l'enseignement officiel leur refusait implacablement. Sans doute, à des époques diverses et sans même toujours se connaître entre eux, ceux dont je parle étaient-ils déjà avec moi, bien qu'à leur insu comme au mien, les « apologètes » que dénoncera en 1967 M. Faye, épaulé par M. Minder (cf. *Critique,* n° 237, février 1967). Ils sont aujourd'hui les « hagiographes » que dénonce M. Renaut. Des deux

9. Mentionnons pour mémoire que, malgré l'hostilité universitaire, Heidegger fut cependant, grâce à la complicité des Beaux-Arts, en la personne de M. Vergnet-Ruiz, reçu au Louvre, qu'il visita à loisir, un jour de fermeture, sous la conduite de M. Michel Laclotte, aujourd'hui conservateur en chef des Peintures, aux Archives, où l'accueillit aimablement Mme Regine Pernoud, et au château de Versailles dont M. Gérald Van der Kemp lui fit personnellement les honneurs. M. Julien Cain ayant d'autre part appris sa présence à Paris et souhaité sa visite à la Bibliothèque nationale, Heidegger, touché, le remercia par écrit et lui promit de venir sans faute à son prochain voyage — qui, en dépit du projet de Merleau-Ponty, n'eut jamais lieu.

côtés, c'est tout comme. Mêmes accusations et même protocole d'accusation. Même acharnement à imputer à autrui, dans un style de procureur, des ambitions et des motivations imaginaires. Même revendication unilatérale de « probité philologique » dont l'autre serait dépourvu, qu'il s'agit seulement de démasquer ou de confondre, comme on prend quelqu'un la main dans le sac. La seule différence est que M. Faye traduisait n'importe comment l'allemand ou le grec, n'étant que sociologue. M. Renaut, bien meilleur philologue, ne se trompe que sur les nuances. Mais sa méthode à l'égard d'autrui est pour le reste non moins justicière. Il diffuse les mêmes racontars et se fomente les mêmes fantômes pour le même plaisir de les exorciser. Jusqu'où donc sommes-nous tombés ? Et dans quelle intrigue vivons-nous ? De l'air !

La terre ne tremble pas en permanence, mais il y a parfois des tremblements de terre. Les philosophes d'hier et d'aujourd'hui — fussent-ils les « nouveaux philosophes » — ont omis de s'apercevoir qu'à la parole de Heidegger la terre avait encore une fois tremblé. Le destin donna pourtant trente ans aux plus chevronnés pour s'aviser de leur inadvertance. Ils ne s'avisèrent de rien. Aujourd'hui, le ridicule est devenu si éclatant qu'il faut bien, pour eux ou leurs successeurs, feindre d'ouvrir à Heidegger mort les portes de leur réduit, l'y admettant enfin sous la condition déjà mentionnée qu'il soit distingué entre un Heidegger recevable et un Heidegger inadmissible. Ceux qui se refusent à cette distinction sont dès lors autant d'hagiographes, de sectateurs, de cabalistes, ou comme on voudra dire. Les prétendus tels ne font à la vérité que suivre à leur façon, peut-être parfois gauchement, la maxime érasmienne que rappelle Schelling et qui fut, à l'écart de toute publicité, celle à laquelle se tint toujours Heidegger : *Semper solus esse volui nihilque pejus odi quam juratos et factiosos* [10]. Comme on voit, je donne à nouveau à qui voudra tous motifs de me rétorquer : vous voyez bien que vous sacralisez Heidegger, le faisant sans pareil et préférant élitiquement, comme on dit aujourd'hui, la « personnalisation » à l' « élaboration collective ». Ernst Jünger me contait pourtant un soir du début de l'après-guerre : « Sûr, il a l'air d'un épicier en retraite, mais, quand on reste un temps avec lui, voilà que se manifeste autour *eine gewisse Strahlung* — comment dites-vous en français ? Je n'en ai rencontré qu'un autre qui fût tel, et c'était Picasso. » A mon sens, Jünger a raison, du moins je pense comme lui, quitte à encourir la réprobation de beaucoup. Mais quoi, disait Pindare approuvé et traduit en son temps par Nietzsche et salué d'encore plus loin par Heidegger, « deviens donc qui tu es sans jamais cesser d'être un apprenti ».

10. M. Renaut est au contraire l'homme d'un triple « collectif », celui des « traducteurs de *Questions IV* » qu'il *démasque,* celui au nom duquel il *dénonce,* et celui « au sein » duquel, comme il dit, il *démonte.*

LE CHEMIN DE HEIDEGGER

Notre sujet d'enquête est : le chemin de Heidegger. Cette année, qui en est déjà à son printemps, est d'autre part celle du cinquantenaire de *Sein und Zeit,* dont la publication eut lieu en février 1927. C'était à l'époque un titre insolite. S'il l'est moins aujourd'hui, c'est précisément à cause du livre qui a pour titre *Sein und Zeit.* Mais, en 1927, quel anachronisme d'annoncer en un titre qu'il va être question de l'être, à savoir de ce que prétend dire, écrivait Valéry vers la même époque, « ce verbe nul et mystérieux, ce verbe ÊTRE qui a fait une si grande carrière dans le vide » ! En 1927, il était permis de parler de théorie de la connaissance, d'objets ou de valeur, de sujet, de copule ou de prédicat, mais être était en philosophie *ein verpönter Titel,* un titre prohibé.

Peut-être à ce propos n'est-il pas inutile de se souvenir que les premières études de Heidegger, au sortir de l'*humanistiches Gymnasium* de Fribourg, n'ont pas été la philosophie, mais la théologie. « Sans cette provenance théologique, disait-il un jour à un visiteur japonais, je ne serais pas arrivé sur le chemin de la pensée. Provenance est toujours avenir [1]. » La faculté de théologie, avec le thomisme comme base des études, était à sa façon le conservatoire de l'être. Cependant, Heidegger, avant même d'avoir commencé ses études de théologie, savait que la scolastique n'était pas de première venue, mais seulement de rang second par rapport à une origine antérieure qui était la philosophie grecque, qu'elle ne transmettait d'autre part qu'à la mesure d'une modification de l'essentiel. Mais quel est donc le sens de la philosophie grecque dont la scolastique n'est qu'un écho, à son tour contrôlé par la référence biblique ? Elle est précisément la découverte de l'être, ou plutôt de la question de l'être, qui n'est pas, pour les Grecs, ce « verbe nul » que dira Valéry, mais, verbe des verbes, la nomination de l'essentiel. Dans le *Gai Savoir* (§ 261), Nietzsche s'interroge sur l'originalité. Et il se répond

1. *Unterwegs zur Sprache,* p. 96.

à lui-même : « C'est voir quelque chose qui ne porte pas encore de nom (...) bien que tout le monde l'ait sous les yeux. Tels sont pourtant d'ordinaire les hommes que c'est seulement le nom de la chose qui commence à la leur faire voir. Les originaux, le plus souvent, ont été les donneurs des noms. » Ainsi les Grecs furent les nominateurs initiaux de ce qui ne cesse de parler, bien que parfois presque sans mot dire, d'un bout à l'autre de toute philosophie. C'est principalement en climat grec que Heidegger, en écho à Nietzsche, a pu dire : « A supposer que le mot *être* vienne à nous manquer, où en serions-nous donc ? N'y aurait-il alors qu'un nom et un verbe de moins dans la langue ? Nullement. Dans ce cas, il n'y aurait plus de langue du tout[2]. »

Voilà aujourd'hui un peu plus de deux ans que me furent posées, à propos de Heidegger, douze questions par deux jeunes poètes, questions et réponses ayant été publiées au début de 1975[3]. Je reçus peu après de Heidegger une lettre amicale dans laquelle il me disait le goût qu'il avait eu à lire ces pages aujourd'hui difficiles à trouver. Pour entrer dans notre sujet, je crois que le plus simple est de rappeler, dans une version çà et là modifiée, les deux premières questions et les réponses correspondantes.

La première question fut : *En quoi la mise en question de la métaphysique revient-elle, pour Heidegger, à faire du temps, dans son rapport à l'être, une question centrale?*

Et voici maintenant la réponse : Vous avez bien raison, disais-je alors au questionnant, de tenir *Sein und Zeit* pour une mise en question de la métaphysique. C'en est même la première mise en question depuis sa naissance grecque, en quoi ce livre est un ouvrage de percée. Le mot métaphysique, synonyme relativement tardif de philosophie, désigne par son préfixe le revirement qui s'accomplit dans la pensée quand son regard, primitivement fixé sur l'étant, en vient à se retourner de la prise en vue de l'étant jusqu'à entreprendre de le questionner dans son être, ce qui est pourtant, disait Platon, plus difficile que de « retourner une huître ». Toute métaphysique est ainsi une thèse sur l'être au sens où Kant posait en 1763 qu'être ne veut pas dire autre chose que ce que dit le concept de position. Telle est la thèse de Kant sur l'être. En quoi il est originalement métaphysicien, comme Platon, bien avant lui,

2. Heidegger n'ignore nullement que, comme le rappelle Leibniz (*Nouveaux essais* I, 3, § 3), « il y a des peuples qui n'ont aucun mot qui réponde à celui d'être ». Mais, à la langue de la philosophie, le grec est de portée *paradigmatique* (cf. Johannes Lohmann : *Über den paradigmatischen Charakter der griechischen Kultur* (Tübingen, 1960), et aussi *Einführung in die Metaphysik,* p. 96, « wir halten uns wieder an die beiden massgebenden Denker *Parmenides* und *Heraklit* und versuchen erneut den Eingang in die griechische Welt zu finden, deren Grundzüge, wenngleich verbogen und verschoben, verlagert und verdeckt, noch die unsrige tragen »).

3. *Douze questions à Jean Beaufret à propos de Heidegger.*

le fut au même titre, disant que l'étant dans son être est idée, *eidos*. Mais l'une des paroles les plus singulières de la métaphysique est celle qu'Aristote rappelle parfois comme en passant : « L'étant dans son être se dit de manières multiples. » La question que se pose Heidegger est dès lors : quel est donc l'un de ce multiple ? Est-ce l'une des quatre acceptions de l'être qu'énumère, sans s'expliquer, Aristote, et alors laquelle, ou n'est-ce aucune d'entre elles, vu que toutes les quatre sont dites regardant à l'un ? Pendant plus de quinze ans, il ne cesse de revenir à ce qui est ainsi pour lui l'énigme aristotélicienne de l'être.

C'est alors qu'il s'avisa « un jour » — ainsi parlait-il parfois — qu'au nom platonicien et aristotélicien de l'être, *ousia*, qui dit aussi, dans la langue courante, le bien d'un paysan, répond directement de ce point de vue l'allemand *Anwesen*, mais que, d'autre part, rien n'est plus proche du neutre *Anwesen* que le féminin *Anwesenheit*, où la désinence *heit* porte au langage, en le faisant pour ainsi dire briller, ce qui, dans *Anwesen*, reste encore opaque. *Anwesenheit* dit ainsi : la pure brillance de l'*Anwesen*. Mais d'autre part *Anwesenheit* est synonyme de *Gegenwart*, et par là dit aussi que ce qui brille, quand retentit le nom grec de l'être (*ousia*, comme *aphérèse* de *parousia*), est essentiellement du présent. Or, présent parle la langue du temps. De même que Cézanne disait : « Quand la couleur est à sa richesse, la forme est à sa plénitude », Heidegger entend sa propre langue lui dire : « Quand le temps est à sa richesse, c'est l'être lui-même qui est à sa plénitude. » Il est à remarquer ici que ce n'est pas directement à partir du grec qui est la langue native de l'être que Heidegger s'avise de la chose, mais grâce à l'allemand qui lui est, non le grec, langue maternelle. A la faveur pourtant d'un tel détour ou plutôt d'un tel dialogue, le grec *ousia*, ainsi éclairé et comme révélé par ce qui lui répond au plus proche dans une autre langue que le grec, mais fraternelle à lui, a déjà nommé, sans y prendre garde, la « temporalité » secrète de l'être tel qu'il s'annonce en un présent. D'où le titre du livre de 1927 de Heidegger : *Etre et temps*.

Ainsi dans la question de l'être, comme question *directrice* de la métaphysique, s'abriterait, pour qui sait entendre la langue[4], une

4. Telle est la condition que requiert l'ouverture à la parole de Heidegger et hors de quoi elle demeure inaudible. « Ce que nous dit être, voilà qui demeure à l'abri dans l'injonction qui nous parle à travers les paroles directrices de la pensée grecque. Ce que dit une telle injonction, point ne nous est possible d'en faire une démonstration scientifique. Nous pouvons l'entendre ou ne rien entendre. Nous pouvons nous préparer à entendre ou laisser cette préparation hors souci » (*Der Satz vom Grund*, p. 121). Cf. de même *Unterwegs zur Sprache*, p. 175 (à propos de Stefan George) : « Ce n'est même pas questionner qui est le geste propre de la pensée, mais être à l'écoute de la parole où s'adresse à nous ce qui doit venir en la question. » Que la pensée soit affaire d'oreille est inadmissible au positivisme devenu aujourd'hui canonique.

autre question qui, question *fondamentale,* s'annoncerait peut-être comme celle du temps. Tel est le chemin qui conduit Heidegger de sa perplexité d'adolescent à *Sein und Zeit.* Mais, sur ce chemin qui est, durant quinze ans, le sien, il découvre aussi que le temps qui lui apparaît comme ce qu'il nomme maintenant l'*horizon* de l'être n'est pas le temps qu'Aristote interprète métaphysiquement, c'est-à-dire à partir de l'être, pour le déterminer canoniquement comme succession d'instants. À la succession des instants s'oppose en la fondant prétendument l'instant d'éternité, celui qui contient toutes choses ensemble. Heidegger dit au contraire : plus radical que le successif et même que l'éternel est le présent qu'abrite en elle la nomination de l'être, et au travers duquel passé et futur se rejoignent ou plutôt se répondent d'une tout autre manière que ne le dit l'adverbe *successivement.* Présent, passé et avenir, loin de se faire suite, sont bien plutôt *ek-statiquement* contemporains à l'intérieur d'un monde dont le présent n'est pas l'instant qui passe, mais s'étend aussi loin qu'un avenir répond présentement à un passé, au sens où Descartes fonde un nouveau présent du monde en lui restituant, pour ainsi dire, la mémoire d'un héros antérieur qui est, à son sens, le géomètre Apollonius, pour s'adresser, à partir de là, à ceux qu'il nomme ses « neveux », comme à des contemporains encore à venir. La dimension qui s'ouvre ainsi dans l'être dépasse aussi bien la naïveté de l'*historisme,* qui pense au fil du temps, que la démarche de ceux qui, avec Chateaubriand et même Nietzsche, nous engagent en sens inverse à mettre « l'éternité au fond de l'histoire des temps ». Telle est la portée révolutionnaire du livre que Heidegger publie en 1927 sous le titre *Sein und Zeit.* Il récuse aussi bien le « point de vue historique » que le recours à l'éternel, pour penser dans toute son ampleur ce que Mallarmé osa nommer un jour : « le vierge, le vivace et le bel aujourd'hui ». Mais alors *Sein und Zeit* ne propose pas encore une fois une thèse métaphysique sur l'être qui consisterait à le déterminer par le temps, comme lorsque Bergson croit trouver dans la mouvance du temps une « substantialité » supérieure. Pensant l'être « sous l'horizon du temps » et non l'inverse, il invite le lecteur à rétrocéder de la métaphysique et de sa question de l'être jusqu'à une pensée plus radicale qui est, dit-il en 1927, celle du *sens* de l'être lui-même, dont l'avant-goût est la merveille qu'il n'apparaisse en son lieu propre que dans une « clairière de temps ».

Ce peu qui vient d'être dit, qui, dans *Sein und Zeit* ne tient même pas beaucoup de place, sur quoi Heidegger, après *Sein une Zeit,* n'est jamais revenu que parcimonieusement, et dont il ne m'a même parlé çà et là qu'en passant, n'en montre pas moins en quoi consiste l'originalité de la question qu'il caractérise, dans *Sein und Zeit,* comme passage de la question de l'être à la question du sens de l'*être.* Cette formulation a cependant donné lieu, malgré son souci d'être claire, à la plus totale confusion, par l'assimilation mécanique, chez les lettrés, de la question nouvelle du *sens* de l'être à une *thèse* métaphysique *sur* l'être, alors que la première est à chaque fois le *non-dit* de la seconde, sous quelque forme qu'elle se présente, ayant ainsi la portée méthodologique d'une *Vor-frage* [5], d'une question préjudiciale. Autre chose est en effet de se demander si, disant être, on n'a pas déjà *pré-entendu* quelque chose, autre chose de déterminer *prédicativement* être à la manière de la métaphysique. En juillet 1957, à l'occasion de la commémoration du cinquième centenaire de l'université de Fribourg, Heidegger avait réuni en un séminaire plusieurs de ses anciens élèves devenus professeurs. Il posa soudain la question suivante : Que veut dire *Sein* dans *Sein und Zeit*? Sans doute ses propres élèves restèrent-ils à court, puisque ce fut lui qui donna la réponse en disant : « Toutes les interprétations philosophiques de l'être, depuis Parménide jusqu'à Hegel et jusqu'à Nietzsche [6]. » Mais alors *und Zeit,* dans *Sein und Zeit,* n'est pas encore une fois l'indice d'une thèse sur l'être. Pensant l'être « sous l'horizon du temps », non l'inverse, Heidegger invite son lecteur à rétrocéder de la métaphysique et de ses thèses sur l'être qu'elle établit jusqu'à une pensée plus radicale qui est, disait-il en 1927, la question du *sens* de l'être, dont, loin qu'il soit, disait Schelling, la force et la vigueur de l'Eternel lui-même (« *die Kraft und die Stärke des Ewigen selber* » Schelling, *Les âges du monde,* Aubier, 1949, p. 189), son avant-goût est la merveille qu'il n'apparaisse en son lieu propre que dans une « clairière de temps ».

La deuxième question fut aussitôt la suivante : *Pourquoi Heidegger ne s'en est-il pas tenu à son projet initial de publier la seconde partie de* Sein und Zeit, *qu'il avait pourtant annoncée en 1927?*

Et voici à nouveau la réponse : La question posée est non seulement classique, mais essentielle. La présupposition de *Sein und Zeit* était l'oubli proprement métaphysique du sens ou de la vérité de l'être. Non pas que saint Thomas, comme affectent de le croire certains, aurait, selon Heidegger, oublié purement et simplement la question de l'être. Il ne l'oublie qu'au sens où, parlant de l'être, il en perd aussitôt de vue le caractère temporel pour le faire culminer hors du temps. Aristote en avait déjà fait tout autant et

5. Heidegger a d'abord caractérisé la question du *sens* de l'être comme *Grundfrage,* pour la distinguer de la question de l'être qui est *Leitfrage. Vor-frage* apparaît, au lieu de *Grundfrage,* dans *Einführung in die Metaphysik,* page 32. Heidegger précisa à mon intention *sa* question en me disant en septembre 1946 : « Nicht nach dem Sein des Seienden, deutlicher gesprochen nicht nach dem Seienden hinsichtlich seines Seins, dessen Sinn als schon feststehend und ungefragt überall seit Parmenides bis Nietzsche vorausgesetzt wird, sondern nach dem Sein selbst und d.h. zugleich nach der Offenbarkeit und Lichtung des Seins (nicht des Seienden) ist (seit *Sein und Zeit*) die *einzige* Frage. »

6. « *Dabei hat jeder anderes zu sagen* », avait-il dit, deux ans plus tôt, à Cerisy.

même Nietzsche, avec l'éternel retour de l'identique, ne fera pas autre chose. Seulement, dans les années qui suivent immédiatement *Sein und Zeit,* la perspective commence à changer. L'oubli de l'être n'est plus une simple inadvertance comme aurait pu le croire encore le lecteur de *Sein und Zeit.* Il devient l'affaire même de l'être, non la nôtre. Autrement dit, dans la locution : *oubli de l'être,* le génitif objectif se renverse en un génitif subjectif. L'oubli provient de l'être. Le moment du virage est évoqué pour la première fois dans la conférence que Heidegger prononce à Brême en 1930, c'est-à-dire trois ans après *Sein und Zeit,* sous le titre « De l'essence de la vérité » et dont le texte, maintes fois remanié jusqu'en 1943, où il est pour la première fois imprimé, fut toujours maintenu par l'auteur en une version à part. On peut dire que ces vingt pages constituent le filigrane de toute l'œuvre ultérieure de Heidegger. Ce qui les caractérise, précise-t-il lui-même, c'est que la conquête décisive de *Sein und Zeit,* à savoir l'interprétation de l'être sous l'horizon du temps, y est « intentionnellement non développée ». Cela ne veut naturellement pas dire qu'à partir de 1930 Heidegger récuse *Sein und Zeit,* mais que ce qu'il dit ne peut plus en être tout simplement la suite, même si on attend la suite d'un roman feuilleton.

Dès *Sein und Zeit,,* à travers ce que Heidegger visait alors sous le titre de *Zeitlichkeit des Daseins,* où le présent, à la croisée en lui du passé et de l'avenir, devient le centre de la question, apparaît déjà la locution plus insolite de *Temporalität des Seins* (p. 19). Par là le livre commence déjà pour ainsi dire à se dépasser lui-même. La temporalité de l'être va maintenant signifier que « l'être se retire tandis qu'il se déclôt dans l'étant », autrement dit, que le *temps* n'est clairière de l'être que comme reposoir, asile ou arche de son propre retrait. Tel est ce que *Sein und Zeit,* n'aperçoit encore qu'à travers un nuage, comme Ulysse son Ithaque où il est bel et bien arrivé sans le savoir encore. Mais ce retrait de l'être (génitif subjectif) va devenir dès lors le trait fondamental de l'histoire elle-même, autrement dit l'Evénement. Car l'histoire n'est pas histoire d'événements, mais l'événement c'est l'histoire, à condition d'entendre événement, donc histoire, au sens qu'entend plus tard Heidegger dans l'allemand *Ereignis,* qui, si au premier plan il dit bien ce que nous appelons événement, c'est pour le dire à sa façon. Car dans *Ereignis* résonne à la fois ce qui nous concerne et ainsi nous est propre (*eigen*), mais aussi ce dont nous restons pour ainsi dire sidérés (*eräugnet*), et par là éblouis, au point que nous sommes en pensée devant lui, disait Aristote, « comme les yeux des nocturnes devant l'éclat du jour ». C'est en ce sens que Nietzsche dira du dernier homme, devant l'apparition naissante du surhomme, qu'il en est réduit à « cligner ». Ce devant quoi notre regard en reste au clignement au sens de Nietzsche, c'est ce dont *Sein und Zeit,* est encore ébloui, à savoir le retrait de l'être.

Il ne s'agit donc pas, après *Sein und Zeit,* de continuer tout simplement sur la lancée de *Sein und Zeit,* mais d'en reprendre la question d'une manière encore plus questionnante, ce qui ne revient nullement à l'invalider. Tout le début du travail philosophique de Leibniz fut l'interprétation de l'être comme force. Il nous dit, revenant plus tard sur ses premiers essais : « Après avoir établi ces choses, je croyais entrer dans le port ; mais, lorsque je me mis à méditer sur le rapport de l'âme avec le corps, je fus comme rejeté en pleine mer. » Heidegger pourrait dire : « Avec *Sein und Zeit,* je me croyais déjà au port ; mais, lorsque je me mis à méditer sur le temps comme *lieu* de l'être, je fus rejeté au grand large. » Somme toute, le passage de *Sein und Zeit* à la suite n'est pas tout simplement la suite de *Sein und Zeit,* mais la reprise de la tentative dont la première conquête avait été l'interprétation de l'être sous l'horizon du temps. Cette tentative, répétons-le, ne revient pas à l'établissement d'une nouvelle thèse métaphysique. Elle est le début d'une *topologie* de l'être qui n'en n'était toutefois, en 1927, qu'à son début. Aristote disait : « C'est chose d'importance que le lieu (*topos*) et il est difficile à saisir. » Cette parole d'Aristote est le fil conducteur de toute la pensée de Heidegger à partir de *Sein und Zeit.*

Les deux questions que je viens de rappeler, ainsi que les réponses qui leur furent faites en 1974, évoquent à la fois *Sein und Zeit,* qui fut, en 1927, l'allégresse du départ, ce livre célébrant, dira plus tard Heidegger, *die Letzte,* la fête des adieux au jusqu'ici — et la reprise plus questionnante qui, trois ans après 1927, commence à déranger tous les plans initiaux, au sens où Leibniz écrivait : « Après avoir dit ces choses, (...) je fus comme rejeté en pleine mer. » C'est ce que les étourneaux formulent en disant que *Sein und Zeit* n'avait fait que s'engager dans une impasse. Il y a certes des littérateurs dont le destin est d'être bienheureusement préservés de ce genre d'aventure, pour la raison qu'ils n'ont jamais rien dit, n'ayant jamais eu rien à dire, ce qui les prédispose d'autant plus à l'abondance du discours. Une troisième étape commence cependant à s'annoncer sur le chemin de Heidegger. L'année décisive est ici 1935. D'où l'allégresse à nouveau du départ qu'est, huit ans après 1927, le cours du semestre d'été : *Introduction à la métaphysique* qui, après la méditation close sur elle-même et comme la longue veillée, le recueillement taciturne que fut la reprise plusieurs fois de la conférence *Vom Wesen der Wahrheit,* retrouve le mouvement, l'allant, le coup d'aile de *Sein und Zeit.* Je me rappelle mon émerveillement lorsque je lus pour la première fois ces pages au printemps de 1952. En le remettant à Heidegger le jour de mon départ, ainsi que deux autres cours qu'il m'avait confiés sur les Présocratiques, je lui dis : « C'est celui-là le bon. Il n'y a rien à y changer. Il faut qu'il paraisse tel quel. » Heidegger, m'écouta, et le livre parut chez l'éditeur Niemeyer l'année suivante, 1953. Mais qu'était donc ce qui portait, dans ces pages, la parole et la faisait parler si juste ? La découverte d'une correspondance originelle entre l'art ou la poésie et la pensée. L'art, dont le nom le plus propre est pour Heidegger poésie, est aussi rigoureux que la pensée la plus attentive et la pensée lui répond à sa guise, mais en même rigueur, car l'art est l'une des cimes de la parole dont l'autre cime est la pensée, de telle sorte que « la pensée n'est de même niveau qu'avec la poésie » (p. 20). Mais où est à son tour la pensée — du moins chez nous, Occidentaux ? Essentiellement là où est la philosophie. *Die Philosophen sind die Denker*[7]. Parlant ainsi, Heidegger est au plus haut point intempestif. Aujourd'hui en effet, lisons-nous dans la *Lettre sur l'humanisme,* la philosophie n'est-elle pas « dans la nécessité constante de justifier son existence devant les sciences », au point qu'elle entend même y parvenir en s'élevant à son tour, comme le voulait Husserl, au rang de « science rigoureuse » ? Et n'a-t-elle pas d'autre part à se confronter avec la religion qui, au pays des sciences, se présente comme le christianisme, avec son assise dans la foi. Cournot écrit (*Matérialisme, vitalisme, rationalisme,* p. 153) : « De quelque manière qu'ait été façonné le monde moderne, on peut être assuré qu'il ne quittera pas le christianisme pour telle autre des religions actuellement établies. Il n'est pas non plus permis de croire que l'on pourra, en pleine civilisation moderne, fabriquer de toutes pièces une religion nouvelle, pas plus qu'une langue nouvelle. (...) Il n'y a donc plus lieu de distinguer, au point où en sont les choses, entre la cause de la Religion et la cause du Christianisme : il faut se soumettre à l'un ou se passer de l'autre. » Cournot publie son livre en 1875. Nietzsche, huit ans plus tard, annoncera la « mort de Dieu », ajoutant toutefois aussitôt : « Je discerne au premier coup d'œil celui qui ne parle du christianisme que d'un cœur plein de ressentiment. » Un siècle plus tard, M. Gueroult, *ad usum Delphini,* il est vrai, et à la faveur d'une de ces interviews auxquelles se laissent aller si aisément les archontes sollicités, ira même jusqu'à déclarer en style lapidaire : « La philosophie s'est alimentée avant tout à deux sources, la religion et la science. » Vingt ans plus tôt, Heidegger avait pourtant dit : Ce n'est ni de la science ni de la religion, mais de l'appel de l'être, tel qu'il est porté au langage dans la parole des penseurs, qu'a pris naissance la philosophie. Elle ne fait qu'un avec le destin de l'être dont elle sonne les heures. Sans doute n'avons-nous à méconnaître ni l'ampleur du projet scientifique ni la hauteur de la tâche qui revient à la théologie. « Mais le déclin de la pensée dans les sciences et dans la croyance est le destin malicieux de l'être » (*Hzw*) — son « courroux » (*Grimm*) avait-il dit dans la *Lettre sur l'humanisme.*

7. *Vorträge und Aufsätze,* p. 131 et *Was heisst Denken?,* p. 2.

Laissant à Heidegger ce qu'a de provocant sa manière de dire qui hérisse contre elle tous les préjugés de notre temps, nous nous en tiendrons à cette proposition : l'originalité de Heidegger est d'en être venu à se laisser concerner par une question qu'*avec patience,* comme dit Van Gogh à propos du dessin, il tente de cerner, et qui est la question de la mêmeté radicale de la parole poétique et de la parole pensante, telle qu'en Grèce et là seulement, cette seconde parole en vint à se scinder de la première en prenant la figure de la philosophie. La formule de cette question qui s'annonce dès 1935, c'est pour la première fois en 1943 qu'elle apparaît en sa rigueur dans la postface à *Qu'est-ce que la métaphysique?* : « *Der Denker sagt das Sein. Der Dichter nennt das Heilige.* » On traduit : « Le penseur dit l'être. Le poète nomme le sacré. » C'est certes lexicologiquement exact. Il se pourrait cependant que ce terme de *sacré,* issu de la dévotion romaine, dise mal que le monde devienne, à la parole du poète, un monde de l'éclosion universelle, un monde qui retourne à l'ouverture du monde, toute chose nommée ainsi retrouvant par là, dit Baudelaire, « l'éclatante vérité de son harmonie native ». Si cependant nous entendons dans le mot *sacré* non le latin *sacrum, sanctum* ou *sacrosanctum,* mais l'écho du *kechôrismenon,* de l'*Excepté* d'Héraclite (Fr. 108) tel qu'à son tour il fait signe vers l'éclair qui, lisons-nous aussi, « pilote tout jusqu'à lui-même » (Fr. 64), alors nous pouvons bien dire, avec Hölderlin, sacré (*heilig*[8]) ce qui advient « plus pur » à la parole du poète dont le parler courant n'est qu'une retombée d'où à peine nous parvient encore un appel. Parler ainsi n'est pas « sacraliser » la poésie, mais l'honorer à son niveau et comme ce « métier de pointe », selon le mot de René Char, qui seul sauve l'apparition. La même année 1943, à propos de Hölderlin et de son appel à la liberté de l'Ouvert (« *Komm! ins Offene, Freund!* »), la question devient encore plus instante. Voici en quels termes la pose alors Heidegger : « Si l'Ouvert, ainsi nommé en poème par Hölderlin, quand nous nous risquons à le pré-entendre à partir de l'autre parole que la parole poétique, jusqu'à l'éprouver dans son secret comme la *clairière de l'être,* à quoi répond initialement ce dont les Grecs ont su pressentir un écho essentiel dans l'*alétheia* (non-retrait), sans cependant jamais avoir pu s'en justifier, ni même tenté de s'en justifier, si alors notre interprétation introduit du dehors dans la poésie de Hölderlin un corps étranger, ou si ce n'est pas ici plutôt la pensée qui, d'un domaine certes tout à fait autre, vient au-devant de la poésie — qu'une telle question soit confiée à l'endurance de la pensée. » Et il ajoute, prenant une autre référence : « Ce qu'en revanche, dans la huitième de ses *Elégies de Duino,* Rilke nomme l'Ouvert, est si étranger à toute remontée vers la source secrète que fut, aux Grecs,

8. « *Das Heilige sei mein Wort* ».

l'*alétheia,* que ce serait même trop peu que de faire de la parole de Rilke la plus extrême contrepartie de la parole de Hölderlin[9]. » Trois ans plus tard (1946), dans un texte lu en privé pour commémorer le vingtième anniversaire de la mort de Rilke, texte publié en 1950 dans *Holzwege,* Heidegger revient à nouveau sur ce point pour souligner encore une fois que l'Ouvert au sens de Rilke, s'il est bien celui des « chemins qui ne mènent nulle part » qu'évoquent les *Quatrains valaisans,*

> chemins qui souvent n'ont
> devant eux rien d'autre en face
> que le pur espace
> et la saison,

de tels chemins « s'ouvrent » bien plutôt dans l'ombre portée de la métaphysique de Nietzsche, elle-même adoucie, que dans la lumière que fut à Hölderlin sa découverte poétique du monde grec. Et c'est pourquoi Heidegger, dans *Wozu Dichter?,* conclut en disant Hölderlin *devancier* pour les autres poètes du temps qu'il caractérisa prémonitoirement comme *dürftige Zeit,* temps d'indigence. Hölderlin est un tel devancier, non pour être partout en tête, mais par un *Retour amont,* comme dit un titre de Char, qui l'ouvre d'autant plus à l'avenir que le prétendument passé lui est plus originellement présent.

« Retour amont », dit Char. Mais il y a pour Heidegger comme un double Retour amont. Celui qui, dans le domaine de la philosophie, remonte *zurück zu den Griechen,* en un retour aux Grecs, jusqu'à la parole initiale de l'être qu'est le *Poème* de Parménide, et cet autre qui, *über das Griechische hinaus,* en dépassement du monde grec, creuse la question de l'être jusqu'à la question du *sens* de l'être telle qu'elle n'est posée pour la première fois qu'avec *Sein und Zeit.* Mais, d'autre part, un tel retour, plus radical que le premier, rejoint à son tour, en deçà de la philosophie elle-même, ce qu'*Introduction à la métaphysique* nomme (p. 126) « la conjonction immémoriale de la parole poétique et de la parole de pensée » — à savoir ce que *Sein und Zeit* n'atteignait pas encore et qui ne commence à émerger que peu à peu avec, au cours du semestre d'été 1935, *Introduction à la métaphysique,* et à l'automne la conférence ayant pour titre « L'origine de l'œuvre d'art ».

Une correspondance s'éclaire entre la pensée comme dire de l'être dans la dimension de l'oubli (au sens de retrait de l'être) et la poésie comme fille de mémoire (au sens du mythe grec). Un hymne laissé en esquisse par Hölderlin a pour titre « Mnémosyne ». Mémoire, dit Hésiode, fille du ciel et de la terre, neuf fois unie à

9. *Erläuterungen zu Hölderlins Dichtung,* p. 114, note.

Zeus, devint en neuf nuits la mère des Muses. C'est d'elle qu'Homère tient le pouvoir qu'il a d'évoquer, à la croisée du ciel et de la terre, de l'homme comme mortel et du divin qui lui fait signe (*Geviert*);

> Celui qui, sur les mers, passa par tant d'angoisses
> En luttant pour survivre et ramener ses gens.

Tel est le pouvoir de la parole poétique. Mais la pensée n'est pas de destinée moins haute. Ne se mouvoir, comme philosophie, que dans l'oubli de l'être ne lui est pas disgrâce, mais signe d'une épreuve encore à surmonter, la proximité de la poésie lui étant viatique. Car de part et d'autre rien ne peut advenir, selon le mot de Platon, que « sous dictée d'*alétheia* ». D'un côté, par l'éclosion de l'œuvre qui, poème ou monument, atteste que même le comble du délaissement n'est pourtant pas coupure. De l'autre, par la préparation d'une ouverture plus originelle de l'*alétheia* elle-même à son propre secret. Ainsi, dans une brève étude insérée en 1942 dans un receuil collectif paru sous le titre *La doctrine platonicienne de la vérité,* Heidegger, qui s'interroge dès *Sein und Zeit* sur le caractère insolitement *privatif* de l'hellénisme *alétheia,* brutalement « traduit » par vérité et par là déraciné de lui-même, conduit sa méditation jusqu'à ces paroles : « Il nous faut d'abord apprendre à honorer le "positif" dans l'essence "privative" de l'*alétheia.* Ce positif, il faut d'abord apprendre à l'éprouver comme le trait fondamental de l'être même. Doit en tout premier lieu s'ouvrir la crise que ce ne soit plus toujours le seul étant, mais bien un jour l'être lui-même qui devienne digne de question. Aussi longtemps qu'une telle crise reste en instance, l'essence initiale de la vérité repose encore, inapparente, dans l'abri de son origine. » Paroles énigmatiques. C'est cependant de là que s'ouvre le site d'une proximité à distance entre pensée et poésie. A René Char disant : « A chaque effondrement des preuves, le poète répond par une salve d'avenir », Heidegger, juste au même temps, répond à son tour : *Le destin du monde s'annonce dans l'œuvre des poètes sans qu'il soit déjà manifeste comme histoire de l'être.* Ici, tous les indices sont partout concordants. Nul arbitraire nulle part, mais de part et d'autre même métier. « Mon métier est un métier de pointe. »

Le temps que Char caractérise comme temps de l'effondrement des preuves, nous y touchons, dit-il, comme *au temps du suprême désespoir et de l'espoir pour rien, au temps indescriptible.* Mais ce temps d'indigence, comme le nomma Hölderlin, ce fut Heidegger qui, il y a presque vingt-cinq ans, tenta de l'évoquer dans une conférence prononcée à Munich en 1953 : « La question de la technique ». Par là s'amorce, pouvons-nous dire, sur le chemin ouvert par *Sein und Zeit,* comme une quatrième étape, celle en laquelle vient converger tout ce qui précède, à l'approche du soir. Car en ces vêpres de la pensée s'abrite une discussion encore plus résolue « à l'égard du règne jusqu'ici valide des époques du jour et de l'an[10] ». Essayons donc d'entendre la parole qui, voici vingt-cinq ans, nous invita à plus de pensée sur un sujet en apparence bien connu. Sur la technique, disait alors Heidegger, nous savons certes beaucoup de choses. Mais nous ne savons rien de son essence encore non pensée. Celle-ci nous demeure énigme et le demeurera aussi longtemps que nous continuerons à nous représenter ce que désigne le terme de technique dans l'optique courante d'un développement progressif, lui-même en rapport avec le progrès scientifique. C'est en vertu d'une telle évidence que l'on affirme, non sans fondement à coup sûr, que la technique moderne, comparée à l'ancien métier, n'est pas quelque chose de tout autre et de radicalement nouveau. « Même le machinisme moderne, avec ses turbines et ses générateurs, reste à nos yeux un moyen produit par l'homme en vue d'une fin posée par l'homme. Même l'avion à réaction, même les moteurs à haute fréquence sont des moyens en vue de fins. Sans doute une station de radar est-elle moins simple qu'une girouette qui indique la direction du vent. (...) Sans doute la production d'un moteur à haute fréquence exigera-t-elle la convergence d'apports variés que contrôle un bureau d'études. Sans doute une scierie à eau, dans un coin perdu d'une vallée de la Forêt Noire, est-elle un moyen primitif en comparaison des installations hydrauliques qui utilisent le courant du Rhin. C'est cependant bien connu : même la technique moderne n'est qu'un moyen en vue de fins. »

Mais nous le savons aussi par Hegel : « Le bien connu, à le prendre globalement, par ceci tout juste qu'il est *bien connu,* n'est pas vraiment connu. » Toute la pensée de Heidegger est la mise en question du bien connu dont Hegel demeure parfois plus tributaire qu'il ne pense. Le mot de progrès n'est-il pas l'écran qui nous masque ce que Char nomme l' « indescriptible » et Heidegger l' « incontournable » ? Là où, au temps des semailles, le geste du paysan confiait encore le grain à sa puissance secrète de croître, une industrie motorisée exige d'un champ donné d'exploitation qu'il ait à fournir à point nommé le maximum de rendement aux moindres frais. Et là où un vieux pont de bois joignait les deux rives d'un fleuve, la centrale électrique, établie pour alimenter en énergie tout un secteur de consommation, en barre le cours pour n'extraire de lui que des kilowatts. Mais écoutons Heidegger : « Pour tenter de voir et de mesurer ce qui, formidablement, se met ici en place, soyons un instant attentifs à la discordance qui s'abrite sous un même nom : *le Rhin,* en tant que bétonné par la centrale qui

10. *Unterwegs zur Sprache,* p. 52 (à propos de Trakl).

l'exploite, et *le Rhin* en tant qu'il donne son titre à un poème de Hölderlin. » Et où sommes-nous donc ? Du côté du poème ou du côté du béton ? Ou n'y a-t-il pas entre eux une parenté inapparente ? Et laquelle ? Ainsi s'engage la méditation à laquelle Heidegger donne pour titre : « La question de la technique ». Il ne s'agit nullement, comme on l'a pourtant répété si souvent, d'une vitupération de la technique, pas plus que des mathématiques et des sciences qui s'y rattachent. Il s'agit seulement de redevenir peut-être mémorieux d'une « histoire secrète », comme disait Nietzsche, dont nous ne serions peut-être que les tard-venus, et dont même l' « histoire du monde » au sens de Hegel, ne serait peut-être à son tour qu'une version encore inessentielle.

Sur un point, notons-le, tout le monde est d'accord, y compris Heidegger. Si« le progrès, d'abord lent, s'est effectué à pas de géant lorsque la science se fut mise de la partie » — vous reconnaissez, au passage, Bergson —, la technique ne se réduit pas cependant, bien qu'on s'en tienne encore là, à une simple application de la science. Mais cette proposition, Heidegger l'entend en un tout autre sens que les historiographes de la technique, dont les mérites ne sont cependant pas à rabaisser. Quand Heidegger dit de la technique qu'elle n'est pas de la « science appliquée », il n'entend pas que la première, interprétée comme *praxis,* anticipe souvent sur la science, ce qui n'est encore que du *bien connu,* encore que ce prétendu bien connu ne sorte pas des « Choses Vagues » et des « Choses Impures » par quoi Valéry définit la philosophie (*Monsieur Teste,* Préface), mais que la science, en tant que théorie, appartient encore plus à l'être même de la technique moderne que la pratique du machinisme qui, développement plus tardif, est prise erronément comme indice ou critère de la venue au jour du monde de la technique moderne. D'où l'illusion toujours renaissante que la technique n'est qu'une application pratique des sciences, alors que c'est l'essence, ou mieux peut-être l'esprit de la technique qui rend possible leur avènement. Mais alors le passage de l'expérience aristotélicienne de la *physis* au projet mathématique de la nature, tel que vont le fonder Galilée et Descartes, même si les machines, comme le note ironiquement Locke[11], se font encore attendre, serait, selon Heidegger, « plus technique » que l'apparition des machines ? Assurément ! De quel droit, cependant, parle-t-il ainsi ? Du droit que lui donne Platon quand, dans *Philèbe* (56 b) il dit de la *tektoniké,* de l'architecture, qu'elle est *techniķôtera tôn pollôn*

11. « J'ai là deux chevaux qui, depuis quinze jours, ne m'ont rendu d'autre service que d'exercer leurs dents. Comme ce n'est pas être de grand usage, je voudrais bien voir MM. les Cartésiens inventer des machines telles, qu'on pût les monter à son gré sans leur faire manger ni foin ni avoine quand elles ne feraient rien. Mais ces philosophes vont toujours parlant de machines et ne produisent jamais rien qui serve » (cité par Pierre-Maxime Schuhl, *Machinisme et philosophie,* 1938, p. 39).

epistémôn, « plus technique que, si nombreux soient-ils, tant d'autres savoirs ». Aux yeux de Platon, seule la géométrie pure, en tant qu'encore plus « détachée de la *praxis* » (*Pol.* 258 d), dépasserait techniquement l'architecture, pour n'être dépassée à ce point de vue que par la philosophie elle-même, qui est le comble de la *techné.* Il est dès lors clair que, pour Platon, *techné,* d'où vient directement notre vocable de technique, n'est pas un concept de la *praxis,* mais un concept du savoir, rigoureusement synonyme avec *epistémé.* Heidegger, qui reprend cette remarque de sa conférence de 1953 dans une autre conférence, faite en privé en 1962 devant un groupe de techniciens et de technologues et non encore publiée, ajoute alors, d'une manière à vrai dire un peu ramassée : « Dans la mesure donc où, dans la technique (au sens du grec *techné*), règne le trait fondamental du savoir, c'est du fond d'elle-même (et non d'une manière fortuite) qu'elle en appelle par avance à la possibilité que ce savoir qui lui est propre se donne à nouveau une figure bien à lui, sitôt qu'une science correspondante vient électivement s'offrir en se déployant. Dans toute l'histoire de l'humanité, la chose n'a eu lieu que sous une forme unique, à savoir à l'intérieur de l'histoire de l'Occident européen, au début ou, mieux, *comme* le début de cette époque que l'on nomme les Temps modernes. » Heidegger pense ici bien sûr au caractère devenu décisif de la Mathématique comme mesure primordiale de tout rapport de l'homme au monde, ainsi que le révèle pour la première fois Galilée dans son *Saggiatore* de 1623. Descartes vient d'avoir vingt-sept ans. Son heure ne va pas tarder à sonner.

La question qui se pose ici est cependant la suivante : de quel droit Heidegger privilégie-t-il le sens platonicien du terme de *techné* sur le sens que lui donnent les dictionnaires, qui nous invitent unanimement à nous contenter d'une interprétation instrumentale de la technique ? Telle est l'objection qui, de toutes parts, lui fut adressée. Tout juste après la conférence de Cerisy, qui marqua en Europe l'été de 1955 et dont le titre fut la question : « Qu'est-ce que la philosophie ? » Heidegger eut droit, dans une revue spécialisée — en l'espèce, une revue de germanistique — à la critique que voici. Comme il avait longuement interrogé le terme même de philosophie tel qu'il apparaît pour la première fois avec un sens tout à fait propre dans le *Phèdre* de Platon, il put s'entendre rétorquer : « Que penserait-on (...) du chimiste qui, au lieu d'analyser les propriétés de tel corps, se mettrait à faire l'exégèse philologique du mot qui le désigne et croirait ainsi en avoir défini les propriétés ? Nous craignons parfois que l'auteur ne se soit donné beaucoup de peine pour extraire des mots une connaissance d'objets[12]. » C'est que le « linguiste » qui croyait ainsi formuler une critique pertinente

---

12. J. Largeault, in *Allemagne d'aujourd'hui,* P.U.F., n° 5, 1956, p. 27-28.

tenait la langue pour un système de signes et ne s'était jamais trop avisé de l'entendre parler. Pour lui, la parole n'est, somme toute, qu'un « mot qui désigne » ou, si l'on veut, un « signifiant » dont l'autre côté n'est à son tour que du « signifié ». Dès lors, la machine est en marche selon les lois de son fonctionnement. Nietzsche, dans quelques conférences qu'il prononça en 1872 et qui eurent le mérite d'agacer sinon Jakob Burkhardt, du moins quelques autres, dont le tout jeune Wilamowitz-Möllendorf, n'en était pas encore là quand il disait du grec et du latin qu'avec eux il ne pouvait s'agir au grand jamais « d'une langue juxtaposée à d'autres », si du moins il s'agit de la langue majeure qu'est à notre Occident la philosophie. Car cette langue du Ponant est en quelque façon et pour toutes les langues modernes d'abord et avant tout une version grecque à travers une version latine, hors de quoi il ne reste plus de la philosophie qu'un décousu d'informations, quitte pour elles à se proclamer objectives. Quant à la version en question, elle ne se réduit pas à une simple traduction, qui se réduirait à son tour à changer opportunément de véhicule, mais elle exige, de qui y entrevoit une tâche, qu'il entreprenne de *de se traduire* lui-même au-devant de l'autre, c'est-à-dire de se transporter de ce qui, pour lui, va de soi, dans le domaine d'une vérité devenue autre. Peut-être notre histoire a-t-elle voulu que, comme le dit le pénétrant Cournot, nous ayons eu, chemin faisant, « d'autres précepteurs que les Grecs », dont l'originalité, dit-il aussi, est qu'à la différence des Romains ils « ne cultivaient que leur langue » là où au contraire les Romains « faisaient de la langue et de la littérature des Grecs le fond de leurs exercices pédagogiques ». Toute la question reste de savoir si le *griechischer Ansatz,* l'initiative grecque, en tant que philosophie, ne nous est pas un début beaucoup plus décisif que tout ce qui, dans notre histoire, prétend lui fixer son début. Autrement dit, si la philosophie véritable, comme le pensait Platon, comme le redira Novalis, n'est pas la philosophie elle-même, et réciproquement. Tel est du moins le sous-entendu que Heidegger parfois porte au langage, et hors de quoi il est aussi dérisoire de prétendre le lire que, comme aime dire Kant, de « s'en aller traire le bouc tandis qu'un autre présente un tamis ». Ce fut, il y a trente ans, lors de ma première rencontre avec Heidegger, ma première découverte, et il ne me fallut pas beaucoup plus d'une heure pour comprendre que son chemin passait par où je n'en savais rien encore en allant le voir, presque introuvable, dans son atelier en forme de hutte au beau milieu de la Forêt Noire. Mais, dit Hölderlin, « c'est dans des huttes qu'il habite, l'homme, en s'y enveloppant du vêtement de la pudeur, car, plus intérieur est son être, plus attentif est-il à la sauvegarde de l'Esprit ».

Dès lors, peut-être est-il plus essentiel, à qui se pose la question de la technique, de comprendre en quel sens Platon dit *techné* que de parler de la technique en l'assimilant, sans y regarder de trop près, à une *praxis* instrumentale de l'homme. Car nous arrivons ici à une limite où c'est la parole qui éclaire le sens, non l'inverse, ou, disait Heidegger à Cerisy, au point où « la langue philosophe par elle-même ». Il avait déjà découvert dans le mot *alétheia* une de ces limites, et peut-être la plus extrême. Traduire *alétheia* par vérité, comme on le fait, dit Leibniz, « en dictionnariste », lui paraissait la plus impure dégradation de ce qui, avec ce terme, fait question. Mais, ici, la merveille est que, dans le grec *techné,* c'est l'*alétheia* elle-même que Heidegger découvre à nouveau. Aristote ne nous dit-il pas, au livre VI de l'*Ethique à Nicomaque* (1139 b 15), que la *techné* est l'une des guises diverses selon lesquelles ἀληθέυει ἡ ψυχή, c'est-à-dire selon lesquelles la *psyché,* terme lui aussi intraduisible, car âme ne veut rien dire, se tient dans l'ouvert du non-retrait ? Mais *psyché* ne veut pas ne rien dire. Il faut l'entendre au sens où Aristote nous en dit : *hé psyché ta onta pôs esti panta* (*De An.* 8, 431 b 21). La *psyché* est, à sa façon, tous les étants autant qu'ils sont. Non pas au sens où Sartre dira, emporté par l'élan, car nous sommes déjà à la page 680 de l'*Etre et le Néant* : « Cette montagne que je gravis, *c'est moi* dans la mesure ou je la vaincs ; et lorsque je suis à son sommet, (...) le panorama, c'est moi, dilaté juqu'à l'horizon, car il n'existe que par moi, que pour moi » (*sic*). Aristote eût été éberlué par la jactance du vainqueur de montagnes. Ce qu'il dit, ce n'est pas : « Le panorama, c'est moi », mais : je suis, en tant que *psyché* la *présenteté* même de celui-ci, car, là où précisément je suis, plus rien ne m'en sépare à la manière d'une cloison ou d'un écran. *Psyché,* c'est le terme que Heidegger traduira, dans *Sein und Zeit,* par *Dasein, être-le-là* et non *être-là,* pour se dire résolument *dehors,* autrement dit, *au monde,* là où la monade de Leibniz, de naissance cartésienne, reste intestine à ses propres replis — « *Komm! ins Offene, Freund!* Viens, dans l'Ouvert, ami ! » Tel est l'appel poétique de Hölderlin. Telle, d'un bout à l'autre du livre de 1927, la parole pensante de *Sein und Zeit.* Mais *techné, alétheia, psyché* sont paroles d'un même monde. Qui ne tente pas de remonter jusqu'à lui à partir de nos traductions, qu'elles soient traditionnelles ou qu'elles se veuillent scientifiques, ne sait même plus de quoi il parle et, en fin de compte, par excès de technique, demeure sans regard pour l'essence de la technique, qui en elle-même n'est rien de technique, au sens où l'être n'est rien d'étant.

En nommant l'essence de la technique, et en cherchant par là un « rapport plus libre avec elle », Heidegger se retranche de tous ceux qui prétendent obtenir de la technique elle-même, entendue comme *praxis* instrumentale, le moyen proprement technique de nous sauver des fléaux qu'elle engendre. On les appelle aujourd'hui, ils s'appellent eux-mêmes, mais en 1953 on n'en savait encore rien : les écologistes. Heidegger n'est pas un écologiste, encore qu'une mode récente ait été de le caractériser comme l'ancêtre de ceux-ci. Il a auparavant passé pour irrationaliste, athée, nihiliste, détracteur de la science, contempteur des valeurs, pangermaniste et même existentialiste. Ecologiste est un début de réhabilitation. Mais le rapport plus libre à la technique dont il éclaire à sa façon l'essence à partir du terme même qui la nomme — ce qui n'est nullement en donner une interprétation philologique, car, dit Valéry, « il ne faut croire du tout que la philologie épuise tous les problèmes que peut proposer le langage » —, si ce rapport lui paraît ouvrir un possible, un tel possible n'est à ses yeux ni un programme ni une promesse. Le rapport au possible est pour lui *attente.* Le voilà donc un « attentiste » ? — le jargon en folie qui nous sert de raison n'étant jamais à court. Heidegger n'attend pourtant rien d'aucune formule. Il ne propose aucune thèse. Il n'a jamais fait que reprendre à son compte l'injonction qui revenait parfois dans la parole de Husserl : *Zur Sache selbst !* (Droit à la question !), la célèbre injonction devenant singulièrement avec lui : *Zur Sprache selbst,* ou plus modestement : *Unterwegs zur Sprache,* acheminement vers la parole [13]. C'est un tel acheminement qui est par lui-même attente. Il ne s'agit pas de l'espoir avec son réconfort. L'agressivité de l'espoir, disait-il un jour à propos d'Héraclite, prétend pouvoir compter ou non sur quelque chose. L'attente est retenue plus haute. Elle ne se réduit d'autre part nullement à s'accommoder des choses comme elles vont, en se disant qu'un jour elles iront peut-être autrement, mais, dans un défi au prévisible, elle est rapport à la sérénité en tant que celle-ci nous laisse encore dans l'épreuve. L'attente invite l'homme à se préparer un chemin jusqu'à lui, autre que celui sur lequel il était en route jusqu'ici, si un autre chemin demeure encore possible. Non au sens évasif d'une possibilité qui n'a rien de contradictoire, mais au sens rigoureux d'un autre rapport à la même source. Heidegger me disait un jour qu'à l'aube du monde grec demeura un temps « *in der Schwebe* », indécidé, ou indécis, en quel sens s'orienterait la marche de l'histoire. Pour dire cette indécision initiale, le rapport à la langue que nous autorise la philosophie nous laisse à court, car il nous condamne à l'alternative de la nécessté et de la contingence, sinon de l'arbitraire. Entre les deux, pourtant, les Grecs avaient nommé *to chreôn.* Faudrait-il dire l'*échéance,* en tant qu'à celle-ci appartient la dévolution, la *moïra,* la part ? Le terme dirait alors quelque chose de plus essentiel que la nécessité ou l'aveugle contrainte, sans pour autant laisser toutes portes ouvertes. En lui, disait Karl Reinhardt, dans un livre que Heidegger plaçait très au-dessus de la philologie au sens courant (*Parmenides und die Geschichte der griechischen Philosophie,* 1916),

13. Heidegger parle ici en écho à Platon (*Phédon,* 115 e) : « Ne pas dire comme il sied que la chose soit dite n'est pas seulement pécher contre la langue, c'est mettre en péril l'homme lui-même. »

vibre, plus secrètement que la nécessité, le possible — si en particulier l'imparfait *chrén* évoque, avec une nuance de déploration, « comment quelque chose aurait dû arriver, tandis qu'en réalité il n'en est pas allé ainsi ». L'attente est donc rapport à une ambiguïté plus essentielle que toute alternative, tandis que l'espoir ou la crainte ont déjà fait leur choix. L'hymne de Hölderlin, *Patmos,* est parole d'attente. Sans que le début promette rien, encore que le Poète ne se fasse pas faute d'annoncer :

> Là pourtant où est le péril,
> Là croît aussi le Salutaire,

la dernière strophe, qui s'adresse aux poètes, c'est seulement pour les adjurer de ne pas déserter :

> Mais, il aime le Père
> Lui qui règne sur toutes choses,
> Par dessus tout que soit par vos soins maintenue
> La lettre dans sa fermeté, et que le permanent
> Reçoive le sens dû. A quoi répond la voix de l'hymne en allemand.

« *Deutscher Gesang* » est dit ici corrélativement à « *griechischer Gesang* » : le Chant de Pindare ou celui de Sophocle que Hölderlin, à la même époque, traduisait en sa langue. L'attente, au sens de Hölderlin et de Heidegger, n'est donc pas plus le *Warte nur balde...* de Goethe que l'occasion d'un simple attentisme, mais l'ouverture d'un rapport à l'être encore en retrait, celui que la pensée avait, sautant par-dessus lui, franchi d'un bond (*übersprungen*) en devenant, avec les Grecs, philosophie. Plus malaisée peut-être que toute autre disposition, et non pas plus commode, l'attente est dimension d'être, celle à laquelle nous convie non seulement l'hymne *Patmos,* mais l'élégie *Brod und Wein* où retentit le même appel à l'endurance devant ce qui est le plus digne de question.

Si Hölderlin nomme le péril, Heidegger voit le péril dans ce qu'il nomme l'essence de la technique. Mais en quoi est-ce le péril ? Et qu'est-il donc en tant que tel ? Dans la conférence de Rome sur Hölderlin (1936) nous lisons : *Gefahr ist Bedrohung des Seins durch Seiendes.* Péril, c'est dire menace de l'être par l'étant. Une telle menace ne commence cependant à percer que là où, entre l'un et l'autre, une différence est pensée ou du moins pressentie. Là où rien de tel ne se fait jour, en l'absence donc de la philosophie, pas de menace encore. Le monde est sans rien d'imminent. Mais en quoi la technique au sens moderne est-elle, poussée à bout, cette menace de l'être par l'étant que couva longuement l'histoire même de la philosophie ? En ce que dans l'horizon de la technique rien ne s'offre plus à titre d'étant que comme ce qui est sommé d'avoir à fournir de quoi alimenter, de la part de l'homme, une domination croissante sur l'étant, autrement dit : sommé de fournir à l'homme, en tant qu'il se pavane dans la figure du seigneur de la terre, de quoi pousser toujours plus loin son *imperium* obéissant ? On peut dire que le péril est alors à son comble pour l'habitant de la terre, rien ne le protégeant plus de n'être plus lui-même, le prétendu « sujet », qu'un rouage à mettre en place dans le système qui transparaît de plus en plus à travers les figures indissolublement corrélatives de l'état totalitaire et de l'*homme normalisé.* Heidegger en fit l'expérience en son temps. Mais surtout il tenta, au lieu de ne voir ce qu'il découvrait dans la « nuit claire de l'angoisse » que comme une excroissance monstrueuse, de le penser juqu'à un secret beaucoup plus menaçant que les propos qu'en font les prétendues « sciences de l'homme » qui ont plus que jamais, et sans qu'il y ait jamais lieu de penser plus avant, réponse à tout.

Le péril, comme menace de l'être par l'étant, est porté à son comble par l'essence même de la technique moderne qui n'est rien de technique, au sens où l'être n'est rien d'étant, et donc qu'aucune manœuvre technique à partir de l'étant, fût-elle politique, ne déjouera jamais qu'en apparence.

« *Und dennoch* » — lisons-nous dans « L'origine de l'œuvre d'art » (p. 41) — « et pourtant... » : « En dépassement de l'étant, non pour s'en écarter, mais le devançant jusqu'à le rendre plus proche, se déclôt une place vacante. Une clairière s'ouvre. Pensée à partir de l'étant, elle est plus étante que lui. Ce foyer d'ouverture n'est par là nullement ciconscrit par l'étant, mais c'est lui, radieusement, qui trace autour de l'étant, tel le rien que nous connaissons à peine, son cercle. »

Tel est déjà le sens de *Sein und Zeit* où « être », pensé à la trace des Grecs, est parole sans poids et non pas pesanteur insistante. La tâche de la pensée serait-elle donc de trouver, dans l'écho du monde grec, un chemin de pensée qui conduise de l'insistance de l'étant jusqu'à la merveilleuse apesanteur de l'être, tel qu'il parle partout :

> Sans rien en lui qui pèse ou qui pose ?

C'est sur ce chemin qu'Aristote, comme en passant, avait pu, dans un recueil au nom de lumière, dire de l'être : « *auto men gar ouden estin,* il est en vérité, par lui-même, un rien ». Il n'en fallut pas plus pour que Heidegger, à l'écoute d'Aristote, fût travesti en zélateur du nihilisme. La chose eut lieu au temps de *Qu'est-ce que la métaphysique?* (1929). Rappelons les dernières lignes de cette Conférence que son titre a rendue célèbre, et où Heidegger évoque la percée jusqu'à l'être vers quoi, à partir de l'étant, tout fait signe :

« Pour que telle percée advienne, voici le décisif : d'abord ouvrir l'espace à l'étant pris dans son ensemble ; puis s'en délivrer jusqu'au rien, ce qui est s'affranchir des idoles que chacun porte en soi, trop expert à se faufiler jusqu'à elles ; enfin ne faire qu'un avec tel suspens jusqu'à ce qu'en retour le mouvement rejoigne la question fondamentale de la métaphysique, celle qui conquiert le rien lui-même : pourquoi, somme toute, y a-t-il de l'étant, et non pas plutôt ce rien : *Il y a.* »

Le rapport à ce que dit la locution : Il y a, *es gibt,* qui est parole de poète, Heidegger la nomma un jour, à partir de Maître Eckhart, *Gelassenheit* : s'entendre à laisser être. On dit parfois : sérénité. Le terme n'est pas faux. D'autres préfèrent : acquiescement, qui n'est pas faux non plus. J'ai proposé un jour : désinvolture. Si l'on entend le terme à l'écart de toute insolence et comme nommant, liberté plus secrète, celle qui n'est pas affirmation de soi, mais silence à l'écoute — « mon atelier », dit Heidegger — peut-être la traduction rejoint-elle le sens.

Tel fut du moins jusqu'à son terme le chemin de pensée de Heidegger, chemin sur lequel il lui arriva de rencontrer, compagnon amical, le poète. La chose eut lieu un soir de l'été 1955 où, sous un marronnier de Ménilmontant, Martin Heidegger et René Char, malgré la disparité des existences et des langages, se reconnurent dans le miroir du Même qui n'est pas l'insipide uniformité (*Einerleiheit*), mais la possibilité, mais l'ouverture du dialogue. Ce dialogue les rassembla plusieurs fois en Provence, qui était, pour Heidegger, l'approche de la Grèce. Ce fut le temps des séminaires du Thor. Mais, sur le chemin du retour, la tradition s'était établie de déjeuner ici même, rue des Remparts-d'Ainay. Heidegger souhaitait cette halte discrète dans une ville où il vint plus souvent qu'à Paris, et dont mainte façade lui était devenue familière. Il s'agissait pour lui de beaucoup plus que d'un simple lieu de passage. Et c'est pourquoi, évoquant aujourd'hui devant vous Heidegger, c'est comme un salut de sa part que j'apporte encore, revenant seul où il aimait être, voisin des fleuves et des ponts, rencontrant ou quittant le Rhône, frère du Rhin de Hölderlin. Tant il est vrai que Lyon fut et demeure une halte et, qui sait ?, peut-être même une étape sur le chemin presque sans dehors dans le monde qu'est le chemin de Heideger.

EN CHEMIN AVEC HEIDEGGER

A Jan Aler

On peut s'étonner que ce soit seulement aujourd'hui qu'ait lieu à Paris cette rencontre[1] qui, pour la première fois à ma connaissance, y rassemble officiellement un public à propos de la pensée de Heidegger. Mais je crois qu'il faut surtout se demander : « Sommes-nous déjà mûrs pour correspondre à cette pensée ? » Il serait, à mon sens, téméraire de répondre par l'affirmative. C'est pourquoi il est puéril de déplorer que Heidegger ne soit pas encore reconnu ou qu'il ait été injustement décrié. C'est au contraire la chose du monde la plus simple et la plus naturelle. Faut-il vraiment s'étonner que Stendhal et que Baudelaire n'aient été, en France, vus à leur place que vers le début de l'entre-deux-guerres, alors qu'ils étaient morts l'un depuis quatre-vingts ans, l'autre depuis plus de cinquante ? Sans doute y eut-il des exceptions. Balzac avait eu le temps de saluer Stendhal à son niveau, et Rimbaud de reconnaître en Baudelaire « un vrai Dieu ». Il en va de même pour Heidegger, bien qu'avec un moindre retard. Antonio Machado, honneur de la poésie espagnole, avait trouvé le temps d'annoncer, vers 1936, que les poètes à venir « seront guidés vers la philosophie de Heidegger comme les papillons le sont vers la lumière » et, peu avant la chute de Barcelone, de réitérer son salut en écrivant dans la *Vanguardia* du 27 mars 1938 que l'homme, selon Heidegger, « *es el antípodo del germano de Hitler* » — ce qui n'a pas empêché que l'œuvre de Heidegger fût ultérieurement réputée par certains pour apologie de l'hitlérisme. Mais, demandait Hölderlin, « *Wozu Dichter?* » Goethe, qui nous reçoit aujourd'hui à travers le Goethe-Institut, savait quelque chose de ces hésitations ou de ces retards de l'histoire

1. Conférence prononcée le 8 janvier 1981 ; voir les indications bibliographiques, p. 129.

devant ce qui en elle sort du médiocre. Il écrit en effet dans le *Divan* :

> Loin est le vrai, pourquoi si loin ?
> A-t-il son gîte au fond des choses ?
>
> Nul n'entend jamais rien à temps !
> A temps si l'on pouvait entendre,
> Le vrai nous serait large et proche,
> Autant qu'aimable et qu'anodin.

Et maintenant, comme le dit Kant en écho à Platon : *Zur Sache selbst!* Droit à la question !

Commençons par une définition (ou si l'on veut, une présentation) *nominale* de la pensée de Heidegger — c'est-à-dire par une formulation sur laquelle les avis ne peuvent guère diverger. La voici : selon Heidegger, la philosophie est, d'un bout à l'autre de son histoire, la problématique de l'*être,* en tant que la question qu'il pose se différencie dès l'origine des questions qui se posent à propos de l'*étant.* Nous voilà au départ en plein arbitraire, du moins en apparence. De quel droit parle-t-il ainsi ? D'où reçoit-il la directive ? *Ausweis bitte!* (Inutile de traduire.) Des contradicteurs diront même : Non, la philosophie, *à mon goût,* n'est nullement cela. Laissons à Heidegger *son* être et *son* étant pour d'autant mieux philosopher en liberté. D'ailleurs, la Société française de philosophie, dans le *Vocabulaire technique et critique* qu'elle propose à ceux que la chose intéresse, ne confère pas au mot philosophie moins de *six* acceptions qu'elle énumère de A à F, dont aucune n'est celle de Heidegger, mais dont la quatrième — citons-la en échantillon — se formule ainsi en termes dignes de Molière : Philosophie veut dire « disposition morale consistant à voir les choses de haut, à s'élever au-dessus des intérêts individuels et, par suite, à supporter avec sérénité les accidents de la vie ». A la bonne heure !

S'émerveiller de telles platitudes ne justifie pas, pour autant, Heidegger, et l'on peut même faire valoir contre lui que la manière dont il caractérise *la* philosophie ne correspond à *aucune* philosophie, pas même à celle d'Aristote, au dire du moins de maints experts comme Hamelin ou Ross, qui soulignent que, si la philosophie première d'Aristote *comporte* bien l'étude de l' « être en tant qu'être », son objet premier et principal n'en est pas moins *un* étant, l'étant lui-même premier et principal que, dira Leibniz, tout le monde s'accorde à nommer Dieu, quitte à le décréter, avec Nieztsche, « mort », pour lui chercher un successeur, fût-ce du côté de l'homme tenu pour surhomme. Il est clair cependant que Heidegger n'ignore rien de cette objection, vu qu'elle est bien antérieure à *Sein und Zeit.* C'est pourquoi la formulation par laquelle nous avons commencé, à savoir que la problématique que développe la philosophie est celle de l'être dans sa différence avec l'étant, doit aussitôt, en paraphrasant quelque peu ce que nous pouvons lire dans le *Nietzsche* de Heidegger (II, p. 318), être ainsi nuancée en direction de son propre sens : au début même de la philosophie — ou, mieux, *comme* début de celle-ci —, c'est bien avant tout de la nature de l'être qu'il fut décidé, mais en un sens tel que cette décision va désormais céder le pas à une détermination préférentielle de l'étant, celle-ci s'enracinant pourtant dans celle-là, au point que l'éclipse de l'être par l'étant ne sera jamais totale. Ainsi dans Aristote la définition d'un étant superlatif est bien *première,* au point qu'Aristote n'hésitera pas à nommer sinon *theologia,* du moins *theologiké,* la philosophie comme première. Mais cette première définition ne cesse pas pour autant de s'*enraciner* dans une détermination *plus originelle* de l'étant comme *energeia,* qu'elle ne peut *éclipser* qu'en la *présupposant.* Il s'agit donc d'un *cercle.* Cercle non pas « vicieux », lisons-nous dans *Sein und Zeit,* mais bien « herméneutique ». Si cependant l'éclipse n'est jamais totale, elle n'en suffit pas moins à inaugurer, dirait Leibniz, un long « quiproquo » qui n'est pas un simple accident de l'histoire, mais l'histoire elle-même, la nôtre, dans sa racine et à sa source, et qu'au Moyen Age, sans que personne, pas même M. Gilson ne s'en soit avisé, fixera quasi institutionnellement l'extraordinaire concordat, dit « scolastique », de la philosophie et de la tradition judéo-chrétienne, tel qu'il se manifeste en gloire dès saint Augustin. Appelons ce quiproquo : « onto-théologique », tel qu'il est devenu, dit Heidegger, pour la métaphysique (synonyme plus tardif de philosophie), *Verfassung,* constitution essentielle. Le titre de 1957, *Die onto-theo-logische Verfassung der Metaphysik,* peut se comprendre ainsi : le quiproquo onto-théologique comme constitution propre, qui est à son tour le jusqu'ici de la pensée philosophique;

Ainsi, là où M. Gilson proclame l'identification de Dieu et de l'être comme « bien commun de la philosophie chrétienne comme chrétienne », Heidegger prononce la différenciation de Dieu et de l'être, et dit, avec Hölderlin (*Le Vatican*) :

Gott rein und mit Unterscheidung
Bewahren, das ist uns vertrauet.

Dieu dans sa pureté, et en différenciant,
Le garder — telle est la tâche à nous confiée.

Mais, s'il en est ainsi le rapport à l'être, qui est, selon Heidegger, le bien commun de la philosophie *comme philosophie,* ne pourra plus consister pour l'homme, comme le voulait Schelling au début des Leçons d'Erlangen, à *mit dem Unendlichen sich allein gesehen (haben),* s'être vu dans la solitude qu'est la compagnie de l'infini, mais, tout au contraire, à se trouver en présence de l'être comme *finitude,* c'est-à-dire tel que, dit la *Lettre sur l'humanisme* (*Brief,* p. 65) ; *Noch wartet das Sein, dass Es selbst dem Menschen denkwürdig werke.* L'être est encore en attente de devenir pour l'homme digne d'une question. Ce fut là le plus grand étonnement, peut-être, de Heidegger. L'être devait-il donc *m'attendre* ? La tentation est grande ici d'hypostasier l'être en un *Cunctator* infiniment patient face à des hommes indéfiniment procrastinateurs. Mais il est possible aussi de penser que l'être est précisément cette attente elle-même, à savoir celle *par lui* de l'homme qui se fait attendre, une telle attente de la part de l'être étant dès lors diamétralement l'inverse de l'attente du Messie, même s'il lui faut à son tour attendre l'heure qu'il s'est lui-même fixée. Cette attente *de* l'être, au sens du *génitif subjectif,* serait ainsi sa propre finitude. Car si, disait, dans le *Kantbuch,* Heidegger, *können, sollen, dürfen* (dans les questions de Kant) sont, de la part de l'homme et dans les questions que pose Kant à son sujet, des indices de finitude, *warten* ne serait-il pas le même indice, mais alors de la part de l'être ? Et n'est-ce pas là ce que nous enseigne, à l'aurore de la philosophie, le *Poème* de Parménide, quand il proclame la Mêmeté d'*être* et *penser* en un tout autre sens que bonnet blanc et blanc bonnet ? Ce que Parménide dit et répète, quand il reprend dans le fragment dit fragment 8, celui des *indices de l'être,* ce qu'il dit ou avait dit d'autre part, c'est qu'à l'être appartient aussi essentiellement sa relation à l'homme qu'à l'homme sa relation à l'être. Une telle relation à l'homme, qui est pour Parménide la finitude de l'être, tel qu'il repose dans les liens d'une limite où plus fort que lui (la *Moïra*) le maintient, a certes été entrevue par Hegel au début de l'*Introduction à la phénoménologie* de 1807. Dieu posé comme le comble de l'être est essentiellement rapport à l'homme, il est *bei uns,* disait Hegel, mais, précisera en 1810 Schelling, *ohne Nachteil seiner Unendlichkeit,* alors que, selon Heidegger, ce rapport à l'homme est, pour l'être, l'indice de sa finitude, en quoi nous sommes ici aux antipodes de tout « Idéalisme ». Ainsi parlait Heidegger le 11 septembre 1969 pour conclure le troisième séminaire du Thor, rappelant qu'il avait nommé, quarante ans plus tôt, dans *Qu'est-ce que la métaphysique ?,* « la finitude de l'être ». Il le rappelait après avoir évoqué dans la séance précédente — c'était le 9 septembre et à propos des Grecs — « la finitude de l'homme » dans son rapport à l'être. Toute confusion était désormais écartée et, comme l'écrivait déjà Heidegger à Max Kommerell, environ au tiers du chemin qui sépare dans le temps *Qu'est-ce que la métaphysique ?,* du dernier séminaire du Thor : « Faire face à ce qui est digne de question est aujourd'hui plus initial et en vient décisivement à ce point que plus aucune théologie de style chrétien ne peut plus trouver, dans cette problématique, aucun abri, fût-il assorti de réserves » (4 août 1942).

Sommes-nous donc, avec la finitude de l'être, au terme du

dépaysement ? Pas encore. Dans les années qui suivent 1929, deux traits s'ajoutent, dont le premier au moins, dans *Sein und Zeit,* est à peine esquissé :

1. L'être, tel qu'il lui a fallu attendre les Grecs pour seulement se différencier de l'étant, puis l'année 1927 pour être publiquement questionné quant au *sens* qui s'abrite en lui, c'est comme *Lichtungsgeschichte des Seins,* histoire de l'être en sa clairière, qu'il se manifeste à ses propres « bergers », et non comme dans la peinture de Fra Angelico, où une lumière préexistante et supposée fixe éclaire uniformément ce qui se manifeste en elle et grâce à elle. Le premier indice de cette découverte est le texte concis qui, en 1942, prit place dans un recueil collectif sous le titre « La doctrine platonicienne de la vérité », et où il est question pour la première fois d'un *Wesenswandel der Wahrheit,* « mutation » ou « métamorphose » du concept même de vérité, entendue à son tour comme manifestation primordiale de l'être et non comme adéquation à l'étant.

2. Le mouvement de cette histoire de l'être est à son tour celui du déclin de l'être, le terme de déclin, *Verfallen,* s'imposant déjà dans *Sein und Zeit,* mais sans encore être creusé comme dimension plus secrète de l'être même. Deux vers de Goethe que Heidegger cite dans une conférence contemporaine de son dernier cours, *Der Satz vom Grund* (1955-1956), peuvent nous être ici un fil conducteur. Il s'agit de la course ou de la coulée du fleuve, dont Goethe dit (dans un sonnet dont le titre est *Mächtiges Überraschen*) :

> *Was auch sich spiegeln mag, von Grund zu Gründen,*
> *Er wandelt unaufhaltsam, fort zu Tale.*

Essayons encore de traduire :

> Quoi que se mire en lui, passant d'un lit à d'autres,
> Rien ne peut arrêter sa course vers l'aval.

Mais n'épiloguons pas. Résumons-nous plutôt : la pensée de Heidegger, dans son approche du problème philosophique comme question de l'être, comporte quatre thèses ou plutôt les quatre paradoxes suivants. Enonçons-les brutalement :

1. Non-identité de Dieu et de l'être.
2. Finitude de l'être, dans son rapport à l'homme.
3. La manifestation de l'être ainsi assignée est essentiellement métamorphose ou mutation (*Wandel*), où il y va essentiellement de sa « vérité ».
4. Le mouvement de cette métamorphose est jusqu'ici le *déclin,* ou *déval,* de l'être en tant qu'histoire de la philosophie.

« C'est à faire tourner la tête, n'est-ce pas ? », dirait la Maréchale de Diderot. Et c'est pourquoi les gens de bien et bien intentionnés stigmatisent, avec certes moins d'indulgence et plus de lourdeur que la Maréchale, l'athéisme de Heidegger, son pessimisme, sa prétendue haine de la science, de la technique ou de Descartes — et, pour tout dire, son obscurantisme. « Ce qui les rend si agressifs, me disait-il un jour, c'est que je continue mon chemin sans nullement me soucier d'eux. » « *Unbekümmert* », avait-il dit.

Mais reprenons souffle et continuons, nous aussi. La question qui se posait à Heidegger, dans les années qui précèdent 1927, était celle d'un point de départ d'où il deviendrait possible d'entrer dans la question de l'être. Or la découverte de ce point de départ sera elle-même un cinquième paradoxe. Il est, nous le savons, le *Dasein*. Mais comment l'entendre ? Je ne puis mieux faire, à ce sujet, que de vous transmettre l'enregistrement littéral du dialogue qui eut lieu à Heidelberg, le 20 juin 1969, entre Heidegger et Karl Löwith, qu'il avait autrefois habilité, et qui venait de faire devant lui et quelques autres, dont j'étais, un long exposé sur les différences qui les séparaient.

Heidegger. — *Aber* Dasein *in* Sein und Zeit... *Wie meinen Sie das?*

Löwith. — *Das da des Seins.*

Heidegger. — *Nein*[2].

Et, tirant un crayon de sa poche pour le poser sur la table, il ajouta : « L'être n'a pas de *là* comme ce crayon qui avait son *là* dans ma poche avant de l'avoir maintenant sur la table. *Etre là* — comme on dit : *Esprit es-tu là?* — n'est qu'une invention des Français popularisée par Sartre. *Damit ist alles das, was in Sein und Zeit als neue Position gewonnen wurde, verloren gegangen.* » Cette dernière phrase : « Par là tout ce qui avait été conquis, dans *Sein und Zeit,* comme position nouvelle, est perdu sans recours », n'a pas été dite telle quelle à Heidelberg, mais deux ans plus tôt à Fribourg, au cours du séminaire sur Héraclite qu'avait organisé Fink et auquel participait Heidegger. Vous pouvez la trouver à la page 174 de l'excellente traduction française, faite pour Gallimard par Jean Launay et Patrick Lévy. Elle n'en est pas moins le sens même de ce que disait, à Heidelberg, Heidegger, qui ajouta simplement : « Le *Dasein* n'est pas le *là* de l'être, mais *être-le-là,* le *soutenir,* y *ek-sister.* »

Penser autrement est manquer le point de départ, c'est-à-dire tout manquer dès le départ, comme le fait ingénument Sartre quand, dans l'*Etre et le néant,* il reproche à Heidegger, de « refuser » comme il dit (p. 18) ou du moins d' « éviter » par son *Dasein* (p. 128) le *Cogito* vers quoi pourtant nous serions de toutes parts « rejetés » (*ibid.*). Quel *Cogito* ? demande Heidegger. Celui de

2. H. — Mais *Dasein* dans *Sein und Zeit,* quelle idée vous en faites-vous ?
L. — Le *Là* de l'être.
H. — Non !

Descartes, bien sûr. Mais derechef lequel ? Car il y en a au moins deux chez Descartes, comme le dira, plus d'un siècle plus tard, Kant. Est-ce celui au nom duquel je me demande sérieusement si je ne serais pas *solus in mundo* ? Ou celui dans l'optique duquel *la veritas rei* m'apparaît *objectivement* comme ce que je m'en représente *égologiquement,* c'est-à-dire *cogitativement,* par l'entremise d'une « idée claire et distincte » ? La réponse est ici : *Les deux* ou, plus précisément : le premier au nom du second, puisque c'est le principe de la clarté et de la distinction des idées qui conduit comme par la main Descartes à se dire qu'il pourrait bien être « seul au monde ». Voire ! Il est bien vrai, quand la lune brille en plein ciel, que je ne puis la voir que par mes yeux comme vous par les vôtres, et qu'aucune force au monde ne peut faire que je la puisse voir par vos yeux ni vous par les miens. Mais cette circonstance à coup sûr singulière empêche-t-elle vraiment la lune de briller au milieu du ciel ? Où nous la saluons tous les deux en disant avec le poète :

> Les astres, à l'entour de Sélanna, brillante,
> Retirent à nouveau leurs radieux visages
> Quand, dans son plein, elle fait le jour
> Sur terre...

Cela se dit très bien en grec, vu qu'il s'agit d'un fragment d'un poème de Sapho qui brille lui-même du fond des âges jusqu'à nous.

Or, ici, les Grecs pensaient si naturellement comme leurs poètes qu'Aristote tenait ce qui, pour Descartes, va prendre tant de prix, pour un simple *parergon,* ou hors-d'œuvre qui jamais ne peut usurper le centre. Cela se dit aussi très bien en grec, comme on le voit si l'on se reporte au livre de la célèbre *Métaphysique,* où nous pouvons lire en effet (9, 1074 b 35) : Elle est visiblement toujours d'autre chose, la perception représentative ; qu'elle le soit également d'elle-même, ce n'est qu'un à-côté. Le tout est de savoir qui doit ici l'emporter : la *phénoménologie* grecque ou la *ratiocination* cartésienne ? Descartes a fait de l'*à-côté* le *centre* de la question, sanctionnant par là une bévue bien antérieure à lui que, le premier, commencera à discerner Kant et que Husserl dénoncera en reprenant la parole même d'Aristote, pour dire, croyant naïvement innover, que « toute conscience est essentiellement conscience *de quelque chose* ». Heidegger est par là réveillé, comme le fut Kant par Hume, d'un long sommeil dogmatique. Son rapport à Husserl est cependant que, pour lui, Husserl ne va pas encore assez loin, car Husserl, même se donnant pour maxime d'aller « droit à la chose », n'en retient pas moins l'ancien mot, celui de *conscience,* ce qui est retenir quelque chose de l'ancienne chose. C'est pourquoi, si l'on ne veut prendre en aucune façon, comme le dit Leibniz, « la paille des termes pour le grain des choses », c'est le terme lui-même qui doit aussi changer, et c'est pourquoi le point de départ de Heidegger ne sera plus, n'en déplaise à Sartre, l'étant comme conscience (*Bewusstsein*). Il dira, faute de mieux et ne sachant trop comment dire : « *Dieses Seiendes fassen wir terminologisch als Dasein. (...) Das Sein dieses Seienden ist je meines.* « Mon point de départ dans l'étant, je le caractériserai terminologiquement comme *être-le-là.* (...) L'être d'un tel étant, c'est lui qui m'est à chaque fois au plus proche. » *Dasein* : être-*le*-là (et non *être-là*) n'est pas une périphrase heideggérienne pour *Bewusstsein,* mais la dénomination topologique du lieu originel où conscience il ne peut y avoir que, disait le Socrate de *Philèbe,* « à titre secondaire et ultérieurement », quand notre rapport à l'étant n'est plus que rapport à l'*objet* et représentation de celui-ci. Nous sommes d'abord présents aux choses mêmes, et en second lieu seulement nous nous rapportons représentativement à des objets qui en deviennent les lieutenants. Ce sont bien plutôt les cosmonautes américains qui, d'un bout à l'autre de leur voyage jusqu'à la lune et même arrivés à son terme, n'ont jamais été qu'auprès d'une *représentation* de la lune, à savoir celle qui, *ex rationibus Astronomiae desumpta,* dit Descartes, prise des raisons de l'astronomie, à la portée d'une véritable éclipse de lune, là où les poètes en saluent la présence à découvert et où les amoureux s'embrassent « au clair de la lune », comme dit la chanson. Le *Dasein* est, bien sûr, du côté des poètes et des amoureux, et c'est rêver les yeux ouverts que lui reprocher ou le plaindre, avec M. Henri Lefebvre, sociologue, et qui sur ce point nous renvoie généreusement à Freud, de n'avoir même « pas de sexe ». Tout ce que dit Heidegger, c'est qu'il n'est pas plutôt mâle que féminin, étant corporellement aussi bien l'un que l'autre. Nous voyons ici à l'œuvre, directement et sur le vif, la méthode de *destruction constructive,* qui est la méthode même de Heidegger, au sens où Char nous dit : « Enfin, si tu détruis, que ce soit avec des outils nuptiaux. »

Le *Dasein* une fois mis en place, au sens où, avant le début de la pièce les gens du théâtre ont, comme ils disent, « planté le décor », tout ce qui va suivre est déjà préfiguré et tout le livre ne fait, telle Athéna, dans *L'Odyssée,* quand elle révèle à Ulysse son *Ithaque* où il est déjà à son insu, que nous révéler où nous sommes. Il suffit maintenant à Heidegger de dissiper la nuée qui, comme dans le *Poème,* recouvrait toutes choses, pour nous les restituer en nous restituant à nous-mêmes. D'où l'entrain joyeux d'une parole qui ne cesse d'ouvrir partout des perspectives ou, mieux, des *échappées,* au sens où magistralement les aquarelles de Cézanne font apparaître en autant d'échappées la montagne Sainte-Victoire. Le bonheur est ici celui de l'élégie de Hölderlin à Laudhauer : « *Der Gang aufs Land : Komm! ins Offene, Freund!* » Car c'est bien *die Stimme des Freundes,* la voix de l'ami, que nous entendons dans les

« descriptions phénoménologiques » dont l'une éveille l'autre à n'en plus finir. La plus brillante est certes celle qui donne au livre son titre et fait l'être surgir dans l'horizon du temps. Jusqu'ici, le temps, même pour Hegel et pour Nietzsche, n'avait fonctionné en philosophie que comme « critère ontologique ou plutôt ontique de la différenciation naïve entre les diverses régions de l'étant ». En haut, l'Eternel ou, inconnu à Aristote, mais plus chrétiennement, le Père éternel à la barbe fleurie qui est la représentation ontique de l'Eternel. En bas, le monde où nous vivons et où, comme dit dans un film où il est d'ailleurs excellent, Pierre Fresnay dans le rôle d'un pasteur citant l'*Ecclésiaste* : « Tout n'est que vanité et poursuite du vent. » Les termes « ontologique » et « ontique » ne doivent pas ici décourager le profane ; la différence entre eux est celle de l'être et de l'étant. Par exemple, du point de vue de la dialectique, la différence entre Hegel et Marx. La dialectique est, pour Hegel, une détermination de l'étant dans son être, qu'il pense à partir de Platon et d'Aristote, alors qu'elle n'est pour Marx qu'une « photographie », tendancieuse ou non, de l'*étant* aux prises avec le *Klassenkampf* — ce qui est *fasslicher,* plus aisément saisissable, alors que la pensée de Hegel est, selon Marx, trop « abstraite ». Mais, demandait déjà Hegel à Marx, s'il est permis de parler ainsi : *Wer denkt abstrakt?* Qui de nous deux pense dans l'abstrait ? Telle sera l'objection de Heidegger à Kierkegaard, dont il admire d'autre part les saisissantes « photographies » existentielles de la condition humaine (qui s'accommodent très bien d'autre part, comme la production si abondante et même redondante de Jaspers, d'une certaine « faiblesse de la cervelle », au sens où Rimbaud le dit de la morale). Mais reprenons. Jusqu'ici, disions-nous, le temps n'avait fonctionné que comme critère de la distinction de régions dans l'étant. Le voilà maintenant qui devient l'*horizon de l'être.*

Mais quel est le ressort de la temporalité secrète du *Dasein* dans son rapport à l'être, si ce n'est celle de l'être lui-même ? C'est « un jour », dit Heidegger — il avait même dit, peu après la guerre, à des visiteurs français qu'il recevait chez lui : « en me promenant un jour dans la Forêt Noire » —, que « je m'avisai qu'au nom platonicien et aristotélicien de l'être, *ousia,* qui dit aussi, dans la langue courante, le bien d'un paysan, répond directement de ce point de vue l'allemand *Anwesen,* mais que, d'autre part, rien n'est plus proche à l'oreille allemande du neutre *Anwesen* que le féminin *Anwesenheit,* où la désinence *heit* (qui évoque *heiter*) porte au langage, en faisant pour ainsi dire briller ce qui, dans *Anwesen,* reste encore opaque. *Anwesenheit* dit ainsi : la pure brillance de l'*Anwesen,* au sens où *Wahrheit* dit *der Glanz des Wahren.* Mais, d'autre part, *Anwesenheit* est synonyme de *Gegenwart* et par là dit aussi que ce qui brille, quand retentit le nom de l'être, porte la livrée du présent. Or "présent" parle la langue du temps ».

Il est à remarquer ici que ce n'est pas directement à partir du grec, qui est la langue natale de l'être, que Heidegger s'avise de la chose, mais grâce à l'allemand qui lui est, non le grec, langue maternelle. A la faveur pourtant d'un tel détour, ou plutôt d'un tel dialogue, le grec *ousia,* ainsi éclairé et comme révélé à lui-même par ce qui lui répond au plus proche dans une autre langue que le grec, mais, comme l'avait à sa façon pressenti Leibniz, fraternelle à lui, a déjà nommé, sans y prendre garde, la temporalité secrète de l'être tel qu'il s'annonce en un présent. A partir de là, feu vert. Le livre a déjà son titre et ne demande plus qu'à naître, à savoir *le* livre du XXe siècle. Précipité par les circonstances et terminé à la hâte — vu qu'il y allait pour l'auteur de sa nomination à la première chaire de Marbourg —, puis imprimé en un temps record — Husserl avait été ici le bon génie —, il fut aussitôt adressé aux experts ministériels de Berlin, d'où il revint glorieusement avec la mention *unzureichend* — insuffisant.

Les années qui suivent *Sein und Zeit,* qui n'est pas seulement un livre parmi d'autres, mais qu'il faut caractériser par la découverte d'un *autre commencement* jusqu'ici inconnu — car c'est toujours à *Sein und Zeit* que Heidegger pense d'abord quand il parle parfois d'un autre commencement —, n'apportent pas simplement la suite de *Sein und Zeit,* suite certes annoncée par l'auteur, et que certains, depuis l'époque, attendent, comme on attend la suite d'un roman feuilleton, mais la reprise plus questionnante de la problématique qu'inaugure *Sein und Zeit,* celle du dépassement de la philosophie, vers quoi *Sein und Zeit,* même complété ou plutôt surpassé dès 1930 par *Vom Wesen der Wahrheit,* n'est encore qu'un premier pas. Ce qui caractérise le mieux cette reprise, c'est une découverte pour laquelle la prose de *Sein und Zeit* n'était pas encore mûre, et qui est celle d'un dialogue possible entre la pensée et la poésie. Entre elle deux, pensée et poésie, règne, selon Platon, une *diaphora,* une dissension qu'il constatait déjà comme *palaia,* « plus vieille que nous ». C'est dire que, selon Platon, s'il est clair qu'Héraclite traitait déjà sarcastiquement Homère et Hésiode, on peut se demander si Parménide, bien qu'écrivant en hexamètres, ne les plaçait pas déjà lui aussi parmi les *akrita phyla,* l'engeance sans critique de ceux qui, incapables de distinguer *tauton kou tauton,* le même et ce qui ne l'est pas, « ne peuvent avancer qu'en rebroussant chemin ». Aristote, dans sa *Poétique,* où il se borne à dire la poésie « plus philosophique » que la simple narration, ne revient que partiellement sur le verdict de Platon. Et même Kant, même Hegel, quand ils cantonnent philosophiquement la poésie dans les limites d'une *Esthétique* qui n'a guère donné lieu qu'à la création de chaires universitaires. Il n'est pas jusqu'à Nietzsche qui ne platonise encore quand, en 1884, il écrit à Erwin Rohde « qu'il est resté poète *bis zur jeder Grenze,* jusqu'à toute limite », bien qu'il se soit « lui-même assidûment tyrannisé avec tout le contraire de ce que prescrit aux rimailleurs n'importe quel art poétique », pensant par là à ce qu'il nomme d'autre part « *die Darstellung in Begriffen* ».

Mais voilà que tout se renverse en 1935 quand, dans son cours du semestre d'été, Heidegger ayant déclaré : « *In derselben Ordnung ist die Philosophie und ihr Denken nur mit der Dichtung,* la philosophie avec sa pensée n'admet à son niveau que la poésie », c'est soudain l'introduction insolite du deuxième chœur de l'*Antigone* de Sophocle comme fond sur lequel seulement ressortiront les paroles de Parménide. Quelques mois plus tard, à l'automne, c'est le *Kunstwerk-Vortrag* que Heidegger prononce à Fribourg en novembre 1935, et que, dès janvier 1936, il répète à l'université de Zurich à la demande des étudiants, puis en novembre et décembre de la même année à Francfort où brillait l'enseignement du grand helléniste Karl Reinhardt dont il fut l'hôte. Dans l'intervalle, il était allé à Rome, non en mission gouvernementale, mais à la demande personnelle du directeur de l'Institut germanique, et ce fut le *Hölderlin-Vortrag,* suivi d'une conférence sur les Présocratiques.

Il est merveilleux que Heidegger ait pu en 1935 et 1936 propager avec tant d'entrain, en Allemagne et hors d'Allemagne, l'étonnante liberté d'une parole qui contredisait si diamétralement celle qu'ordonnait qu'on entendît le *Kultur-ministerium* du Dr Goebbels. Qu'il ait été, peu après, contraint de réserver son éloquence à son auditoire plus local de Fribourg est dans l'ordre. Comme il est assez clair que ce fut son éclat de 1935-1936 qui provoqua sa non-désignation pour le congrès Descartes qui devait s'ouvrir à Paris, l'année suivante, 1937, et ceci à la stupéfaction de M. Bréhier qui en était l'organisateur. C'est ainsi que manque à l'œuvre de Heidegger le *Descartes-Vortrag* qui, s'il eût existé, serait à coup sûr aussi mondialement célèbre que *Qu'est-ce que la métaphysique?* ou que la conférence romaine sur Hölderlin. Le tort de Heidegger est d'avoir cru un temps que l'hitlérisme pouvait être surmonté par la force de la pensée. Il ne relevait en réalité que d'une deuxième guerre mondiale, aussi stérile que la première.

Le dialogue de la pensée avec la poésie ne consiste nullement à présupposer dans la poésie une philosophie latente. Et les *Erläuterungen zu* (non *von*) *Hölderlins Dichtung* ne visent nullement à en « décoder le message », comme disent aujourd'hui les étourneaux. Leur propos est bien plutôt d'entendre la parole poétique d'un *autre point d'écoute* que celui de « l'amateur de poèmes » (Valéry), à savoir à partir d'une pensée, celle qui, jusqu'ici, n'a pu exister que comme philosophie, mais qui pressent déjà que la philosophie elle-même ne lui est peut-être bien qu'un destin provisoire. Sur ce chemin que la pensée fait sien, il n'est même pas dit que le poète ait, lui aussi, à s'engager. L'écriture est ici, de part et d'autre, parallèle, ou pour mieux dire, asymptotique, et la proximité demeure distance expressément gardée. Le risque est grand qu'en effet la pensée ne s'aille chercher un refuge dans la poésie, ou qu'elle n'en vienne à troubler la parole du poème au lieu de lui laisser la merveille de sa voix. Car, se dit Heidegger, *quand le vent soudain a tourné, grondant dans les charpentes de la hutte, et que le temps va se gâter.*

Trois dangers menacent la pensée :

— Le danger merveilleux et dès lors salutaire, c'est le voisinage du poète, la proximité de son chant.

— Le danger malicieux et de tous le plus âpre, c'est la pensée elle-même ; il lui faut penser à contrepente, ce qu'elle ne sait que rarement.

— Le danger pernicieux, celui qui brouille tout, c'est de philosopher.

A l'écoute du poème comme asymptote à la pensée, celle-ci, par une sorte de régression (*Schritt-zurück*) va peut-être se délivrer, mais à sa guise, de limites dont, comme philosophie, elle est affectée depuis son début grec, et qui est que « l'énigme nous est transmise du plus lointain dans la nomination de l'*être* ». Etre devient, pour la pensée, trop court, car il n'est encore que le point de départ de toutes les interprétations qu'en donnera, dans son histoire riche en métamorphoses, la philosophie, d'Héraclite à Nietzsche y compris, qui en est présomptivement le point final, lequel est ainsi déjà derrière nous. A travers la parole de l'être qui est la parole philosophique, l'écoute du poème nous aide à entendre une autre parole, non seulement comme parole, non seulement comme parole poétique, mais aussi comme parole de pensée, et qui soudain retentit dans la seconde conférence (« Das Ding ») d'un cycle de quatre prononcées à Bühlerhöhe, en 1950, sous le titre : *Einblick in das, was ist.* S'interrogeant sur ce qu'*est* la moindre des choses, par exemple, cette cruche posée sur la table, Heidegger dit, ayant donné congé à toutes les interprétations scientifiques et philosophiques possibles : l'être de cette cruche, c'est de rassembler en elle : *das Geviert.* Traduisons ce terme insolite par Uniquadrité. Il dit, en toutes choses, l'unité encore en retrait de quatre dimensions que, comme *Welt-Gegenden,* comme contrées du monde, Heidegger, reprenant le terme de *Weltgegend,* employé par Kant en 1765 à propos de l'espace, se borna à l'époque à énumérer en disant : la Terre, le Ciel, les hommes comme mortels et les dieux qui, d'en face, leur font signe, pour rappeler tout au plus qu'aucun des quatre ne peut être nommé sans la pensée des trois autres, mais seulement *aus der Einfalt der Vier,* à partir de l'*Universion* des Quatre. Ce langage en son temps a pu étonner. Il étonne encore. Ne paraît-il pas en effet être celui d'un Heidegger II, aussi différent de Heidegger I, l'auteur de *Sein und Zeit,* qu'Henri II Plantagenêt diffère d'Henri Ier Beauclerc ? Car comment la question de l'être, déployée par *Sein und Zeit* comme question du *sens* de l'être, a-t-elle bien pu devenir sans « passage d'un genre à un autre » la question du *monde*, déployée à son tour en question de l'Uniquadrité ?

C'est bien cependant dès *Sein und Zeit* que le questionnement de Heidegger s'orientait en ce sens, si l'on se souvient du moins que le rapport essentiel de l'*être-le-là* à l'*être* est l'apparition de l'*être-le-là* comme *être-au-monde*, où monde n'est nullement un simple concept « cosmologique », mais dit, dans toute son ampleur, l'*être-le-là* lui-même. Et c'est bien pourquoi, vingt ans plus tard, nous pouvons lire dans la *Lettre sur l'Humanisme* : « Monde ne signifie ni un étant ni un domaine de l'étant », mais « *die Lichtung des Seins, in die der Mensch aus seinem geworfenen Wesen her heraussteht*, la clairière de l'être où c'est en y entrant, de toute la puissance de son être jeté, que l'homme se dresse. » La parole qui nomme le monde, loin de tenter « *die Ausschmückung eines Denkens, das sich aus der Wissenschaft in die Poesie rettet* », loin de « parer d'ornements étrangers une pensée qui, rompant avec la sobriété du savoir, se cherche un refuge littéraire dans la poésie », est donc parole de pensée. Que cette parole n'ait pas été la parole même de la philosophie caractérise précisément la naissance de la philosophie avec la limitation dont elle est affectée depuis son origine grecque. « Nous aurons à nous demander », lisons-nous dans *Sein und Zeit* (p. 100), « pourquoi dès le début de la tradition ontologique qui pour nous est déterminante — d'une manière explicite dans le *Poème* de Parménide — le phénomène du monde a été *übersprungen*, franchi d'un bond, lui-même oublieux, et d'où provient la renaissance constante d'un tel oubli ? » Cette allusion à Parménide s'éclaire si l'on s'avise que le terme de *cosmos*, quand il apparaît au fragment 4 du *Poème*, c'est pour n'y figurer explicitement que dans la locution κατὰ κόσμον, et, de là, faire signe vers les « indices de l'être » qu'énumère « comme il se doit » le fragment 8 — donc qu'à la différence d'Héraclite (fragments 30 et 89) Parménide subordonne le « phénomène du monde » à la nomination de l'être, en un renversement des priorités, inexplicite encore avec la parole d'Héraclite, pour laquelle *cosmos* reste un nom fondamental, loin de se réduire au « comme il se doit » des signes ou indices de l'être.

Mais, si le terme de *monde*, entendu d'une oreille que seul a pu ouvrir le mouvement du *Retour amont* (Char) qui nous dépayse de la philosophie en retrocédant jusqu'à une pensée plus instante, ne dit pas, pour cette pensée, *moins* qu'être, mais *plus*, nommant comme telle la *clairière* de l'être, que, dès le *Poème* de Parménide, éclipse à sa façon la nomination prioritaire de l'« étant », pourquoi est-ce dans le phénomène de l'Uniquadrité que Heidegger situe l'être même du monde ? Dans le livre qu'il publie en 1963 sous le titre *Der Denkweg Martin Heideggers*, et qui souligne si justement à quel point la pensée de Heidegger est essentiellement un *chemin* de pensée, Otto Pöggeler répond à cette question en disant : « Il est hors de doute que c'est la poésie de Hölderlin qui a été, pour Heidegger, l'incitation décisive à penser le monde comme l'Uniquadrité des dieux et des mortels, de la terre et du ciel. » La même remarque avait été faite en 1954 par Beda Allemann dans son livre *Hölderlin und Heidegger.* Rien n'est plus juste qu'une telle remarque mais, avec elle, disait en 1952 Heidegger lui-même (c'était à Zurich), *vielleicht (...) sind wir doch nicht ganz im Reinen,* peut-être ne sommes-nous pourtant pas tout à fait au clair. Car on pourrait encore se demander : *Warum gerade Hölderlin? Warum nicht Kleist oder Baudelaire oder wen sonst?* Pourquoi précisément Hölderlin? Pourquoi pas Kleist ou Baudelaire ou qui sais-je d'autre? Derrière la remarque de Pöggeler, c'est tout le problème qui demeure intact d'une pensée qui devient questionnante non seulement de ceux qui ont pensé en mode philosophique, mais aussi des poètes, et parmi eux de Hölderlin électivement, non parce que l'Uniquadrité du monde se verrait, dans ses poèmes, à l'œil nu, mais parce que, de tous les poètes modernes, Hölderlin est le seul pour qui ait fait problème, et même ait été *le* problème lui-même, le rapport singulier de notre monde à son origine grecque, comme on le voit dans sa première lettre à Böhlendorf. Gœthe, sur ce point, fut moins radical. L'« incitation » dont parle Pöggeler, si elle est certes « décisive », n'a pas été reçue, de la poésie de Hölderlin, d'une manière immédiate et ce n'est pas directement à partir de Hölderlin que nous pouvons jalonner l'étape de *Sein und Zeit* à l'interprétation du monde comme Uniquadrité.

A ce dessein, il est d'autres rapports qui, bien que non explicitement soulignés par Heidegger, ne doivent pas être perdus de vue. En particulier l'importance que, deux ans après *Sein und Zeit* aura pour lui la lecture du livre magistral de Walter F. Otto, publié sous un titre emprunté à Schiller : *Les dieux de la Grèce.* Nous lisons dans ce livre — qui vient d'être traduit en français[3] et qui interprète la prétendue « mythologie » grecque à partir de la poésie, elle-même lieu essentiel, du moins pour les Grecs, de ce que les Romains appelleront « religion » mais dont Heidegger disait, dès 1943, qu'elle est « chose romaine aussi bien par le nom qu'elle porte que par le fond de la question » — que les Grecs furent ceux « devant qui s'ouvrit originellement le monde comme terre et ciel, (...) hommes et dieux ». Mais là, selon Otto, une distinction est aussitôt à faire entre deux époques. D'abord celle qu'est le monde préhomérique de la terre et du ciel dont un écho nous parvient encore à travers la *Théogonie* d'Hésiode, puis, à partir d'Homère, le monde tout autre des Olympiens, en lutte avec le premier sans pourtant

3. Payot, Paris, 1981. Tr. fr. Claude Grimbert et Armel Morgant.

jamais l'annuler. Le premier monde, celui des épousailles du ciel et de la terre, et où le ciel qui

> « autour de Gaïa,
> Dans l'ivresse de son désir, se répandait sur elle en s'étalant
> De toutes parts »

reste, dans son adhérence à l'élémental, proche encore de Chaos, entendu à son tour comme l'ouverture béante, où paraissent initialement ciel et terre, avant même la naissance des dieux de l'Olympe et des hommes. Le second monde est le monde homérique, à savoir celui des hommes comme mortels et de leurs dieux comme Immortels et qui, moins proche de l'élément, n'est plus seulement le monde de l'accouplement *panique* de la terre et du ciel mais, dira Hölderlin à propos de Sophocle, de l'accouplement *tragique* de l'homme et du dieu et qui, éprouvé à son tour comme *das Ungeheure,* l'Excessif porté à son comble, menace de mort ceux qui l'affrontent. C'est seulement à la lumière de ce que nous dit à ce propos le *Kunstwerk-Vortrag* de 1935, à savoir que la tragédie n'est pas un moment de l'histoire du théâtre, mais « le lieu de la lutte entre anciens et nouveaux dieux », que nous pouvons nous acheminer juqu'au *Ding-Vortrag* de 1950. Et, là, rien n'est plus loin de la parole grecque que l'Ecriture, quand elle fait de *ciel* et de *terre* les compléments d'un *créa* dont le sujet serait un Dieu prétendument unique. Il n'est bien sûr pas question de fixer dogmatiquement ici un ordre de préséance, mais seulement de rappeler ce que dit Heidegger, fût-ce sans le formuler aussi expressément qu'Otto quant il écrit dans *Les dieux de la Grèce* : « N'allons pas croire plus longtemps qu'il pourrait être moins important de questionner un peuple de la grandeur spirituelle des Grecs, quant à l'objet d'une suprême vénération, que les enfants d'Israël. »

Non moins stimulant, bien que dans un autre domaine, que le livre d'Otto fut aussi pour Heidegger le bref et lumineux essai que l'historien de l'art Hans Jantzen publia en 1928 à Fribourg *Über den gotischen Kirchenraum - Sur l'espace intérieur de l'église gothique* [4], où l'auteur reconnaît, comme décisive de cet espace, la *Vierung,* la croisée du transept qui, « centre architectural de l'édifice, s'ouvre aux quatre points cardinaux en quatre portiques géants qui donnent sur la nef, sur les bras du transept et sur le chœur ». Qui se place à la croisée du transept, à Notre-Dame par exemple, a devant lui le chœur où se dresse, en l'honneur du Dieu, l'autel, derrière lui la nef où se rassemblent comme mortels les fidèles et, à sa droite et à sa gauche, les deux « rondes verrières » dont il est permis de penser qu'elles font à leur guise écho à Terre et Ciel. Il est difficile

---

4. Traduit par Julien Hervier dans l'*Information de l'histoire de l'art,* mai-juin 1972, Ed. Baillière, Paris. (Conférence prononcée le 5 novembre 1927 à Fribourg.)

de ne pas s'aviser d'une référence implicite à l'étude de Jantzen dans cette phrase du *Ding-Vortrag* : « *die Einheit des Gevierts ist die Vierung,* l'unité propre de l'Uniquadrité est la croisée » — au sens, me disait Heidegger deux ans après les conférences de Bühlerhöhe, de la *croisée du transept* à partir de laquelle Jantzen interprète, structure diaphane, l'espace intérieur de l'église gothique comme l'espace même du sacré. L'Uniquadrité, comme croisée, serait ainsi au monde ce que la « structure diaphane », dans l'interprétation de Jantzen, est à la construction gothique, c'est-à-dire ce sans quoi tout le reste a perdu son centre et se laisse seulement énumérer à la suite comme, cité par Pöggeler, le fait Platon dans *Gorgias* : « Les doctes, Calliclès, affirment que le ciel et la terre, les dieux et les hommes, sont liés ensemble par l'amitié, le respect de l'ordre, la modération et la justice, et pour cette raison ils appellent *monde* le tout des choses, et non désordre et dérèglement. » Dans ce texte de Platon, me disait encore Heidegger en mai 1975, les quatre sont bien dénombrés, mais l'Uniquadrité est absente, là où au contraire la parole poétique de Hölderlin nomme, dans l'esquisse à laquelle sera plus tard donné le titre de *der Vatikan,* le « *wirklich, ganzes Verhältnis, samt der Mitt* », l'entier du rapport, y compris son centre, qui n'est jamais aucun des quatre.

C'est ainsi, à la lumière que fut à Heidegger son dialogue avec quelques-uns qu'il tenait, dans l'Université allemande, pour les meilleurs de ses aînés, et parmi lesquels, aux côtés de Husserl, de Scheler et de Karl Reinhardt, il faut citer au premier rang Walter F. Otto et Hans Jantzen, dont il devient en 1928 le collègue à Fribourg, que s'éclaire à ses propres yeux le chemin de pensée sur lequel il avance et où , solitaire, il ne fait nullement figure d'isolé[5] *. Outre le lien de reconnaissance qui ne cesse de le rattacher à Husserl, le choix de Scheler comme dédicataire posthume du *Kant-Buch,* le salut à Reinhardt dès *Sein und Zeit,* nous le rappellent aussi bien la recommandation instante qu'il fait en 1936 à ses étudiants de lire non seulement le *Dionysos* d'Otto (1933), mais son livre « plus ample » de 1929 sur *Les dieux de la Grèce,* que l'écrit insolitement révélateur qu'il destine en 1951 à Hans Jantzen sous le titre de *Logos,* à l'occasion de son éméritat. Ceux-ci, de leur côté, le tiennent pour beaucoup plus qu'un collègue plus jeune et reconnaissent en lui un penseur dont l'originalité annonce peut-être une mutation décisive de la pensée.

Par là devient peut-être aussi plus clair que le nom de *Geviert,* Uniquadrité, s'il est relativement aisé de reconnaître que la poésie,

---

5. Ce qui ne veut nullement dire qu' « il [Heidegger] ne philosophe plus à partir de la chose en question, mais plutôt à partir des livres des collègues » (*Gesamtausgabe,* vol. XXI : *Logik. Die Frage nach der Wahrheit,* Francfort, Klostermann, 1976, p. 84).

* Jean Beaufret remplace ici le mot *man* (on) qui figure dans le texte par *er* (il).

électivement avec Hölderlin, est partout l'évocation de ce qu'il dit, n'a, selon Heidegger, tout son sens que pour la philosophie comme pensée de l'être a elle-même déjà un sens, c'est-à-dire pour celui dont le dialogue est d'abord avec les instituteurs d'une différence entre *être* et *étant* qui, pour les Grecs et pour eux seulement, cesse d'être anonyme. Il n'y aurait pas eu en effet « dissension », comme le dit Platon, entre poésie et philosophie, dans le climat d'*indifférenciation* dont l'entrée des Grecs dans l'histoire marqua, pour l'Occident, le finale. Mais avec l'Uniquadrité l'être lui-même, me disait Heidegger en 1950, *ènt-schwindet,* cède la place à plus essentiel que lui, sans pourtant nullement *verschwinden,* qui dit la pure et simple disparition et comme l'élision de quelque chose — ou, selon la parole plus audacieusement intraduisible de Maître Eckhart, *ent-wird.* Voilà pourquoi Heidegger, se surpassant lui-même, ajoutait à mon intention en 1952, tandis que j'écrivais sous sa dictée : « Etre est un terme provenant de la métaphysique en tant qu'oubli de l'être. Quand on parle de l'être, on parle la langue de la métaphysique. C'est une aberration que de caractériser par le nom métaphysique de l'être la Différence elle-même. Plus originelle que l'être, qui n'est jamais qu'être de l'étant, demeure la Différence. C'est pourquoi il est hors de saison de nommer encore cette *Différence* du nom de *Sein* (être), qu'on l'écrive ou non avec un y. » L'allusion est ici à Heidegger lui-même, qui parfois écrivit *Sein* avec un *y* (*Seyn*). Mais sa dernière tentative graphique, dans la *Lettre* à Ernst Jünger qui ne devait être écrite et publiée que trois ans plus tard (1955), sera plutôt de barrer d'une croix le mot *être* — ce qui ne veut nullement dire qu'il ne nous reste plus qu'à faire une croix sur l'être, l'ayant jeté par-dessus bord, et *Sein und Zeit* s'étant décidément avéré une impasse. Heidegger écrit en effet dans le texte dont le titre est traduit à tort par : *Contribution à la question de l'être,* vu qu'il a plus littéralement la portée d'une injonction et signifie *Droit à la question de l'être* : « La croix qui barre l'être ne doit pas être interprétée comme une rature seulement négative : elle fait bien plutôt signe vers les quatre contrées de l'Uniquadrité et leur rassemblement au lieu où elles se croisent. » A leur croisée, les quatre, c'est donc deux à deux ou comme un double deux que l'Uniquadrité les rassemble et non pas unilinéairement. N'épiloguons pas pourtant plus avant, car, nommant le *Geviert,* l'Uniquadrité de la terre et du ciel, des mortels et des dieux qui d'en face, font signe, Heidegger ne parle pas à la télévision, mais s'adresse seulement à ceux dont plus d'un, dit Hölderlin,

Mancher
Trägt Scheue, an die Quelle zu gehen...

plus d'un garde pudeur d'aller jusqu'à la source.

Cette pudeur du rapport à la source, qui, à l'écoute de la parole des poètes, a conduit *régressivement* la pensée de l'être jusqu'à la nomination insolite du *Geviert* en son Uniquadrité va permettre à Heidegger encore un pas sur son chemin. Car *Geviert* n'est pas encore le dernier mot de sa parole pensante. Plus essentiel que la nomination du *Geviert* est en effet le monde selon lequel le *Geviert* lui-même, comme essence de la Différence, « advient », *sich ereignet* — autrement dit, l'*Ereignis.* Ici, toute traduction fait inexorablement défaut. Le mot *Ereignis,* dit Heidegger dans *Identité et différence, lässt sich so wenig übersetzen, wie das griechische Leitwort* logos *und das chinesische Tao.* Essayons donc, sinon de traduire, du moins d'éclairer le terme *Ereignis.* Là encore, de la lumière peut nous venir de Goethe — *Goethe und kein Ende,* comme il le dit lui-même d'un autre que lui[6]. *Ereignis* dit bien, si l'on veut, *Evénement,* qui est la traduction courante du mot *Ereignis.* Mais il le dit en tant que celui-ci, en advenant, fait époque. Tout ce qui fait époque nous conduit à nous-mêmes, mais en même temps nous éblouit, nous laissant pour ainsi dire *sidérés* par ce qui nous survient, au point que la lumière qu'il dispense ne peut être, comme telle, prise en vue, et nous surpasse par son excès. C'est en ce double sens que Goethe, magicien de l'équivoque, emploie la locution : *sich eignen,* comme Heidegger le rappelle, ou plutôt le découvre dans les dernières pages de son dernier livre, *Unterwegs zur Sprache.* Présentant ses vœux de nouvel an au grand-duc Charles-Auguste, qu'il tient pour son bienfaiteur, Goethe lui écrit en 1828 :

Nur weil es dem Dank sich eignet,
Ist das Leben schätzenswert

Ce n'est que s'appropriant au merci
Que la vie nous est digne d'estime

Mais il écrit aussi dans le second *Faust* — peut-être est-ce à la même époque? — cette parole qu'il prête à son héros, lorsque à minuit surviennent à ses côtés quatre « femmes en gris » :

Von Aberglauben früh und spät umgarnt,
Es eignet sich, es zeigt sich an, es warnt.

De superstitions tôt et tard encerclé,
Cela emplit la vue, attire l'œil, fait signe.

Dans le premier cas, *sich eignen* est consonantiquement interprété à partir de *eigen,* qui dit, en quoi que ce soit, ce par quoi il

6. De Shakespeare, dans *Shakespeare und kein Ende* (« à n'en plus finir »).

devient lui-même, et qui lui est propriété. Dans le second cas, au contraire, le même *sich eignen* est entièrement déterminé par *sich anzeigen* qui le suit, mais c'est parce qu'il est pensé à partir de *das Auge,* l'œil, au sens de *sich dem Auge zeigen,* se manifester à la vue, qui en est même remplie avec excès, au point qu'avec l'*Ereignis* c'est plutôt la chose même qui nous fixe sous son regard, qu'elle ne se laisse prendre en vue, au sens où Aristote disait : « Comme les yeux des nocturnes devant la lumière du jour, ainsi notre regard pensant devant l'éclat du plus Radieux. » C'est là le modèle même de ce que le grammatologue Johannes Lohmann, qui fut lui aussi à l'université de Fribourg le collègue de Heidegger, appelait une « convergence étymologique », dont il aimait opposer la richesse aux facilités plus superficielles de l'étymologie divergente. Heidegger se place au foyer même de cette convergence pour y entendre *Ereignis* à la fois comme ce qui nous découvre à nous-mêmes et qui, par excès de lumière, nous éblouit — ce qui n'est pas restreindre la pensée à l'étymologie, mais faire de l'étymologie elle-même l'un des outils de la pensée. Dans l'*Ereignis* ainsi entendu, me disait-il dès 1949, « l'homme est transi par l'être jusqu'à en devenir *Dasein* et cet *Ereignis* est la vérité de l'être auquel le *Dasein* appartient essentiellement ». A quoi, vingt ans plus tard, presque à la fin du dernier séminaire du Thor, fait écho ce propos incident qui n'a pas été retenu par le protocole : « Dès la *Lettre sur l'humanisme,* je continue à dire *Sein,* mais je pense *Ereignis.* » A nous d'apprendre ici à soutenir l'épreuve sans qu'il soit jamais en notre pouvoir d'en rien atténuer.

On peut dire de Heidegger qu'une fois du moins sorti de la collecte classique des titres que suppose la carrière universitaire, il n'a cessé de penser dans le rapport à l'*Ereignis,* c'est-à-dire à l'*excès du sens,* proche par là de Hölderlin écrivant à l'ami Böhlendorf : « Je redoute que mon destin ne soit celui de l'antique Tantale à qui advint, venant des dieux, plus qu'il n'en put digérer. »

Ereignis est en effet, selon Heidegger, au double sens du terme, l'explosion unique de la poésie grecque avec les Poèmes homériques, puis son merveilleux déploiement lyrique et tragique de Pindare à Sophocle. Mais *Ereignis* fut aussi, dans le même monde, la naissance de la philosophie comme autre que la parole poétique, et dont les documents décisifs sont *une* phrase d'Anaximandre, les « fragments » d'Héraclite et le *Poème* de Parménide. *Ereignis* est non moins toute l'histoire de la philosophie depuis ce début radieux jusqu'à nous-mêmes qui en avons présomptivement dépassé le finale, mais qui vivons à notre insu dans l'énigme d'un monde dont l'origine coïncide en son temps avec la naissance de la philosophie moderne, et qui est le monde de la technique moderne. Rappelons simplement que, depuis 1953, l'unique question de Heidegger — stimulé déjà de façon décisive par la méditation du livre insolite d'Ernst Jünger, *Der Arbeiter* (1932) — fut celle de la technique moderne comme *Ereignis,* ce qui le libère d'un lieu commun, celui qu'Ernst Jünger avait déjà pressenti comme tel dans l'interprétation de la technique comme *science appliquée,* en le retranchant d'autre part aussi bien des zélateurs du « progrès » que de ceux qui le vitupèrent, mais encore davantage des écervelés qui follement se targuent de prendre en main les moyens qu'il met en œuvre, pour les subordonner à des fins ou à des valeurs prétendument suprêmes, qu'elles soient hédonistiques, morales ou religieuses. *Ereignis* est enfin, survenant « à pas de colombe », la question que se pose pour la première fois *Sein und Zeit,* — sans que l'on puisse dire qu'il lui fallait dialectiquement ne se poser qu'à cette date, vu qu'elle est possible dès le départ et en tout temps — et qui est, *autre commencement,* la première mise en route du pas qui se dégage de la métaphysique en en rétrocédant, et dont la démarche est, dans toute la force du terme, *désinvolture.* Mais il ne suffit pas de jouer les désinvoltes à l'égard d'un savoir prétendument à dépasser pour rejoindre Heidegger sur son chemin. Ceux-là seuls qui auront assumé la patience d'un long déchiffrement de tout ce que la philosophie, dans son histoire, nous donne à entendre et à lire, d'abord en grec, puis en latin, puis en d'autres langues porteuses d'histoire, deviendront peut-être ceux qui regardent à l'*Ereignis.* Car, pour Heidegger comme pour Hegel, la philosophie ne s'improvise pas. Elle doit d'abord être *apprise* comme la géométrie ou, mieux, la grammaire, quand on apprend en l'étudiant qu'il y a un singulier et un pluriel, trois genres, des noms et des pronoms, des verbes et des adverbes, etc., au point que l'on peut dire : *Philosophia est grammatica.* En notre temps d'ignorance croissante et d'information de plus en plus résolument cybernétique, il est à craindre que les amateurs de Heidegger, qui foisonnent déjà à l'entour dans les domaines les plus divers, ne fassent que retrouver à travers lui ce que Kant appelait, à propos des Eclectiques, *ihre eigenen Grillen,* leurs propres lubies.

Heidegger est là pourtant et nous est, aujourd'hui, plus présent que jamais en son atelier de pensée, comme il aimait dire, où il travaillait à l'écart de toute publicité mondaine, soit avec des outils jusqu'ici connus, soit avec on ne sait quels outils qu'il s'inventait à lui-même, à une œuvre toujours à venir, celle que Rimbaud un jour se formula à lui-même comme « inspecter l'invisible et entendre l'inouï ». Et c'est pourquoi René Char, qui est homme du même « métier de pointe », lorsque l'annonce le rejoignit en sa Provence de la mort de l'aîné et aussi de l'ami qu'était pour lui Heidegger, écrivit alors quelques lignes, publiées seulement trois ans plus tard dans un mince recueil auquel il donna pour titre *Aisé à porter.* Les voici, dans leur brièveté d'aphorisme :

> Martin Heidegger est mort ce matin. Le soleil qui l'a couché lui a laissé ses outils et n'a retenu que l'ouvrage. Ce seuil est constant. La nuit qui s'est ouverte aime de préférence.

Suit simplement la date : mercredi, 26 mai 1976.

INDICATIONS BIBLIOGRAPHIQUES[1]

L'OUBLI DE L'ÊTRE. Texte inédit, primitivement destiné à figurer dans un recueil de « Mélanges » en hommage à Jacques Lacan, ouvrage qui n'a pas vu le jour.

L'ÉNIGME DE Z 3. Paru dans un livre intitulé *Savoir, faire, espérer. Les limites de la raison.* Volume publié à l'occasion du cinquantenaire de l'Ecole des sciences philosophiques et religieuses et en hommage à Mgr Van Camp. Publications des Facultés universitaires Saint-Louis, Bruxelles, 1976.

ARISTOTE ET LA TRAGÉDIE. Inédit, texte de l'intervention du 2 juin 1978 au colloque sur Aristote organisé à Paris par L'Unesco.

HEIDEGGER ET LA THÉOLOGIE. Paru dans *Heidegger et la question de Dieu,* recueil édité par R. Kearney et J.S. O'Leary, collection « Figures », Paris, Grasset, 1980.

SUR LA PHILOSOPHIE CHRÉTIENNE. Texte publié en hommage à Etienne Gilson, dans *Etienne Gilson et nous,* Vrin, Paris, 1980.

LA QUESTION DES HUMANITÉS. Ce texte est issu du remaniement d'un article écrit pour le colloque de Marly sur « L'homme et les techniques » : « Humanités classiques, humanités scientifiques, humanités techniques » (Ligue française de l'enseignement, 1956) et d'une conférence prononcée à Bruxelles le 17 juin 1978 à la Vlaamse Vereniging voor Wijsbegeerte (Société flamande de philosophie) présidée par Léopold Flam. On retrouvera ce texte dans *L'art des confins,* volume d'hommages à Maurice de Gandillac (P.U.F., à paraître).

A PROPOS DE « QUESTIONS IV » DE HEIDEGGER. Paru dans la revue *Les Etudes philosophiques,* n° 2, 1978.

---

1. Comme il est dit dans l'Avertissement, tous les textes de ce volume, inédits ou déjà publiés, ont été retravaillés par Jean Beaufret.

LE CHEMIN DE HEIDEGGER. Paru dans la revue *Etudes germaniques,* n° 3, 1977 (conférence prononcée à la faculté de philosophie de l'université Jean-Moulin à Lyon le 29 avril 1977).

EN CHEMIN AVEC HEIDEGGER. Paru dans le *Cahier de l'Herne,* « Heidegger », Paris, 1983 (conférence prononcée au Goethe-Institut de Paris le 8 janvier 1981, reprise avec quelques modifications le 7 mai 1982 à l'université de Fribourg où Jean Beaufret prit la parole dans le grand amphithéâtre, où Heidegger faisait ses cours magistraux).

TABLE DES MATIÈRES

« ARGUMENTS »

Samir Amin, CLASSE ET NATION.
Lou Andreas-Salomé, EROS.
Jean-Marie Apostolidès, LE ROI-MACHINE. *Spectacle et politique au temps de Louis XIV* — LE PRINCE SACRIFIÉ. *Théâtre et politique au temps de Louis XIV.*
Arrien, HISTOIRE D'ALEXANDRE, suivi de FLAVIUS ARRIEN ENTRE DEUX MONDES, par Pierre Vidal-Naquet.
Kostas Axelos, ARGUMENTS D'UNE RECHERCHE — CONTRIBUTION A LA LOGIQUE — HÉRACLITE ET LA PHILOSOPHIE — HORIZONS DU MONDE — LE JEU DU MONDE — MARX PENSEUR DE LA TECHNIQUE — POUR UNE ÉTHIQUE PROBLÉMATIQUE — VERS LA PENSÉE PLANÉTAIRE — PROBLÈMES DE L'ENJEU — SYSTÉMATIQUE OUVERTE.
Georges Bataille, L'ÉROTISME.
Jean Beaufret, DIALOGUE AVEC HEIDEGGER : I. PHILOSOPHIE GRECQUE — II. PHILOSOPHIE MODERNE — III. APPROCHE DE HEIDEGGER — IV. LE CHEMIN DE HEIDEGGER.
Ludwig Binswanger, INTRODUCTION A L'ANALYSE EXISTENTIELLE.
Maurice Blanchot, LAUTRÉAMONT ET SADE.
Pierre Broué, LE PARTI BOLCHEVIQUE — RÉVOLUTION EN ALLEMAGNE *(1917-1923).*
Pierre Broué et Emile Témime, LA RÉVOLUTION ET LA GUERRE D'ESPAGNE.
Edward Hallett Carr, LA RÉVOLUTION BOLCHEVIQUE *(1917-1923)* : I. LA FORMATION DE L'U.R.S.S. — II. L'ORDRE ÉCONOMIQUE — III. LA RUSSIE SOVIÉTIQUE ET LE MONDE.
François Châtelet, LA NAISSANCE DE L'HISTOIRE.
Carl von Clausewitz, DE LA GUERRE.
Gilles Deleuze, PRÉSENTATION DE SACHER-MASOCH. *Le froid et le cruel* avec le texte intégral de LA VÉNUS A LA FOURRURE — SPINOZA ET LE PROBLÈME DE L'EXPRESSION.
Wilfrid Desan, L'HOMME PLANÉTAIRE.
Gilbert Dispaux, LA LOGIQUE ET LE QUOTIDIEN. *Une analyse dialogique des mécanismes de l'argumentation.*
Didier Dumas, L'ANGE ET LE FANTÔME. *Introduction à la clinique de l'impensé généalogique.*
Eugen Fink, LE JEU COMME SYMBOLE DU MONDE — LA PHILOSOPHIE DE NIETZSCHE — DE LA PHÉNOMÉNOLOGIE.
Eugen Kogon, Hermann Langbein, Adalbert Rückerl, LES CHAMBRES A GAZ SECRET D'ÉTAT.
Pierre Fougeyrollas, CONTRADICTION ET TOTALITÉ. *Surgissement et déploiements de la dialectique.*
Didier Frank, CHAIR ET CORPS. *Sur la phénoménologie de Husserl.*
Joseph Gabel, LA FAUSSE CONSCIENCE. *Essai sur la réification.*
Maria Carmen Gear et Ernesto Cesar Liendo, SÉMIOLOGIE PSYCHANALYTIQUE — ACTION PSYCHANALYTIQUE.
Wladimir Granoff, FILIATIONS. *L'avenir du complexe d'Œdipe* — LA PENSÉE ET LE FÉMININ.
Jacques Gutwirth, VIE JUIVE TRADITIONNELLE. *Ethnologie d'une communauté hassidique.*
G.W.F. Hegel, PROPÉDEUTIQUE PHILOSOPHIQUE.
Rudolf Hilferding, LE CAPITAL FINANCIER.

Louis Hjelmslev, ESSAIS LINGUISTIQUES — LE LANGAGE augmenté de DEGRÉS LINGUISTIQUES — PROLÉGOMÈNES A UNE THÉORIE DU LANGAGE suivi de LA STRUCTURE FONDAMENTALE DU LANGAGE.

Roman Jakobson, ESSAIS DE LINGUISTIQUE GÉNÉRALE : I. LES FONDATIONS DU LANGAGE — II. RAPPORTS INTERNES ET EXTERNES DU LANGAGE — LANGAGE ENFANTIN ET APHASIE — SIX LEÇONS SUR LE SON ET LE SENS.

Roman Jakobson et Linda Waugh, LA CHARPENTE PHONIQUE DU LANGAGE.

Ludovic Janvier, POUR SAMUEL BECKETT.

Karl Jaspers, STRINDBERG ET VAN GOGH — *Swedenborg-Hölderlin - Etude psychiatrique comparative,* précédé d'une étude de Maurice Blanchot, LA FOLIE PAR EXCELLENCE.

Otto Jespersen, LA PHILOSOPHIE DE LA GRAMMAIRE — LA SYNTAXE ANALYTIQUE.

Flavius Josèphe, LA GUERRE DES JUIFS, précédé par DU BON USAGE DE LA TRAHISON, par Pierre Vidal-Naquet.

Karl Korsch, MARXISME ET PHILOSOPHIE.

Reinhart Koselleck, LE RÈGNE DE LA CRITIQUE.

Georges Lapassade, L'ENTRÉE DANS LA VIE. *Essai sur l'inachèvement de l'homme.*

Henri Lefebvre, LA FIN DE L'HISTOIRE, *Epilégomènes* — INTRODUCTION A LA MODERNITÉ, *Préludes* — MÉTAPHILOSOPHIE, *Prolégomènes.*

Moshé Lewin, LE DERNIER COMBAT DE LÉNINE.

René Lourau, L'ANALYSE INSTITUTIONNELLE — L'ÉTAT-INCONSCIENT.

Georg Lukàcs, HISTOIRE ET CONSCIENCE DE CLASSE, *Essais de dialectique marxiste.*

Herbert Marcuse, EROS ET CIVILISATION, *Contribution à Freud* — L'HOMME UNIDIMENSIONNEL, *Essai sur l'idéologie de la société industrielle avancée* — VERS LA LIBÉRATION — L'ONTOLOGIE DE HEGEL ET LA THÉORIE DE L'HISTORICITÉ.

Richard Marienstras, LE PROCHE ET LE LOINTAIN. *Sur Shakespeare, le drame élisabéthain et l'idéologie anglaise aux XVIe et XVIIe siècles.*

Edgar Morin, LE CINÉMA OU L'HOMME IMAGINAIRE.

Bruce Morrissette, LES ROMANS DE ROBBE-GRILLET.

Novalis, L'ENCYCLOPÉDIE.

Claude Reichler et al., LE CORPS ET SES FICTIONS.

Karl Reinhardt, ESCHYLE-EURIPIDE — SOPHOCLE.

Harold Rosenberg, LA TRADITION DU NOUVEAU.

Robert Sasso, GEORGES BATAILLE : LE SYSTÈME DU NON-SAVOIR.

Boris de Schlœzer et Marina Scriabine, PROBLÈMES DE LA MUSIQUE MODERNE.

Stuart Sykes, LES ROMANS DE CLAUDE SIMON.

Léon Trotsky, DE LA RÉVOLUTION *(Cours nouveau - La révolution défigurée - La révolution permanente - La révolution trahie)* — LE MOUVEMENT COMMUNISTE EN FRANCE *(1919-1939)* — 1905 suivi de BILAN ET PERSPECTIVES — LA RÉVOLUTION ESPAGNOLE *(1930-1940)* — LA RÉVOLUTION PERMANENTE — LA RÉVOLUTION TRAHIE.

Karl Wittfogel, LE DESPOTISME ORIENTAL.

CET OUVRAGE A ÉTÉ ACHEVÉ D'IMPRIMER LE QUATORZE FÉVRIER MIL NEUF CENT QUATRE-VINGT-CINQ SUR LES PRESSES DE JUGAIN IMPRIMEUR S.A. A ALENÇON ET INSCRIT DANS LES REGISTRES DE L'ÉDITEUR SOUS LE NUMÉRO 1966

Dépôt légal : février 1985